Breve historia de Centroamérica

Historia de América Latina
Dirigida por Nicolás Sánchez-Albornoz

Héctor Pérez Brignoli

Breve historia de Centroamérica

Alianza Editorial

Primera edición en "Alianza América": 1985
Segunda edición en "Alianza América": 1987
Tercera Edición en "Alianza América": 1988

Calle Milán, 38, 28043 Madrid; teléf. 200 00 45
ISBN: 84-206-4207-X
Depósito legal: M. 34.473-1988
Compuesto en: FER Fotocomposición, S. A. Lenguas, 8. 2801 Madrid
Impreso en Lavel. Los Llanos, nave 6. Humanes (Madrid)
Printed in Spain

Índice

Siempre a Yolanda

Advertencia a la tercera edición

Para esta tercera edición, que aparece también en traducción al inglés y al alemán, el texto ha sido ampliado y considerablemente revisado. Debo agradecer nuevamente las observaciones de Carolyn Hall y Nicolás Sánchez Albornoz, al igual que los acuciosos comentarios de los dos lectores anónimos designados por la *University of California Press.*

Las dos primeras ediciones de este libro tuvieron, dentro y fuera de Centroamérica, una acogida generosa y favorable. Quisiera reiterar dos aspectos que me parecen importantes. En su brevedad, el texto admite varias lecturas. Dicho en otros términos, creo que dice más de lo que aparenta. Concisión tampoco quiere decir simplificación. Ni el pasado ni el presente de Centroamérica pueden entenderse con esquemas o generalizaciones apresuradas. Y mucho menos, como es frecuente en nuestros días, acudiendo a una lógica infantil de inocentes y culpables. Si este libro logra hacer comprender, sensibilizar e inquietar al lector, y lo induce a participar en la difícil tarea colectiva de explicar el presente con una perspectiva científica, habrá cumplido su propósito con creces.

San José, Costa Rica, diciembre de 1987.

Advertencia a la segunda edición

Para esta segunda edición el texto ha sido ampliado y considerablemente revisado. El capítulo 6 se mantiene de acuerdo con la versión original, con una cota cronológica en 1984. No pareció aconsejable tratar de extenderlo más allá de esa fecha ya que la evolución en 1985 y 1986 no ha desmentido ninguna de las afirmaciones básicas en él contenidas.

San José, Costa Rica, septiembre de 1986.

Introducción

Una historia de Centroamérica. El tema mismo es, por cierto, problemático. El pasado compartido impone una definición restringida a cinco países: Guatemala, El Salvador, Honduras, Nicaragua y Costa Rica. Geográficamente podría esperarse, en cambio, que se tratara de una unidad mayor. El istmo incluye también a Panamá y en el norte la Península de Yucatán. Los altos de Chiapas hicieron parte del Reyno de Guatemala hasta 1821, y la continuidad sociocultural con respecto al altiplano guatemalteco es más que evidente. Belice comparte no pocas características físicas y humanas con la costa atlántica de Centroamérica. Puede definirse un marco todavía mayor: la América Central puede incluir, en un sentido geográfico, tanto la sección ístmica como las islas del Mar Caribe. Y si de extensiones se trata, el ángulo puede abrirse todavía más, hasta abarcar lo que en Estados Unidos se denomina *Middle America:* México, el istmo centroamericano y las islas del Caribe, según algunas definiciones; dichos territorios, más Venezuela, Colombia y las Guayanas, según otras.

Cualquiera de estos marcos de observación puede justificarse según diversos criterios, yendo desde la unidad geofísica hasta los aspectos de la geografía política y humana. Pero para que la región pueda ser un objeto válido de análisis histórico se necesita algo más que una definición operacional. Es preciso que lo que se delimita permita esperar comportamientos unitarios en un sentido social. El espacio no interesa *per se,* sino en tanto escenario y condicionante de la vida de los grupos y las sociedades. En el caso que nos ocupa hay dos enfoques posibles de este tema. El primero consiste en ceñirse a las unidades nacionales del presente, o del pasado inmediato, dejando la definición de la región a la historia vivida en común, en sus dimensiones económicas, sociales, políticas y culturales. El segundo implica situar la unidad en la percepción, por parte de una potencia, de la región como una zona de influencia o de particular interés estratégico. El cambio tecnológico y de los umbrales de percepción modifican, por cierto, esa unidad, y pueden darle incluso un carácter precario. Factores propios de la evolución interna de cada potencia, de las relaciones con otros Estados, y las respuestas provenientes de la misma zona de influencia, intervienen conjuntamente, y en grados variables, en esa «definición» regional.

El primer criterio, que es el adoptado en este libro, nos lleva a definir la región en un sentido restringido, limitándola a los cinco países que integraron hasta 1821 el llamado Reyno de Guatemala, y que alcanzaron la Independencia como Provincias Unidas del Centro de América. El segundo criterio es de uso habitual en los estudios sobre relaciones internacionales e historia diplomática, y aparece con frecuencia en los análisis sobre la política inglesa o norteamericana en el área.

En 1985 Belice y Panamá integran la región centroamericana aplicando el primer criterio. Pero la pertenencia de ambas naciones se remonta apenas una década hacia atrás. Hasta el advenimiento del régimen de Torrijos (1968-1981), Panamá, como Estado independiente, gravitó muy poco en la política centroamericana. Lo mismo puede decirse de Belice hasta que la progresiva emancipación de las Antillas británicas permitió pronosticarle un destino parecido ya en la década de 1960. Por esas razones, hemos excluido cualquier consideración sobre la evolución interna de ambos países, limitándonos a retener lo relativo a influencias más o menos determinantes sobre el destino centroamericano.

*   *   *

Pero ¿cuál es el tamaño de la región que estudiamos? La pregunta es válida tanto para el lector centroamericano como para los extraños. En el primer caso, por una cuestión de perspectiva que difícilmente se tiene desde casa; en el segundo, por la necesidad de información sobre una región poco conocida, frecuentemente relegada al olvido.

La magnitud del territorio no es impresionante; representa apenas un 2 por 100 de la superficie total de la América Latina. Esos 419.000 Km^2 constituyen un área menor que la de España (505.000 Km^2) o Suecia (450.000 Km^2), y apenas la mitad de la superficie total de Venezuela; superan, en todo caso, la extensión del Japón (337.000 Km^2) y de Paraguay (407.000 Km^2). Individualmente, se trata de países pequeños. El Salvador tiene una extensión similar a la de Israel; Costa Rica resulta ser algo más extensa que Dinamarca, mientras que Nicaragua —el país más grande del istmo— tiene el mismo tamaño que Checoslovaquia.

Los recursos dicen, por cierto, más que la superficie territorial. La población actual, algo mayor de 21 millones de habitantes, representa un 6 por 100 del total de la población de América Latina. Y esa proporción ha variado poco. Hacia fines del siglo XVIII Centroamérica poseía casi un millón de habitantes sobre 19 millones en el subcontinente. Las proyecciones nos hacen esperar 64 millones para el año 2025; eso será algo así como un 8 por 100 del total de la América Latina, y representará una magnitud parecida a la que tenía México hacia 1970.

La pobreza del conjunto no puede ser disimulada por los éxitos moderados observables en Costa Rica. El ingreso per cápita de la región representaba en 1958 apenas un 10 por 100 del de Estados Unidos. En 1975 la situación era similar. Desde 1950 hasta la fecha sólo el ingreso per cápita de Costa Rica ha logrado superar levemente al del conjunto de América Latina. Ello es suficiente para clasificar al istmo como una de las regiones más pobres y atrasadas del subcontinente.

*   *   *

Unidad y diversidad constituyen, en el caso de Centroamérica, un serio desafío para la indagación histórica. La constitución, durante el siglo XIX, de cinco estados-naciones empuja a tomar dichos países como unidades de análisis significativas y la validez de esta opción escapa a cualquier duda. Pero hay procesos y puntos de convergencia que sólo se perciben a escala regional; y en ciertos casos una profunda imbricación de los destinos nacionales en el contexto centroamericano. De ahí la necesidad imperiosa de utilizar el método comparativo.

Un enfoque de este tipo puede ayudarnos a evitar errores de dos clases diferentes. Primero, la inevitable tentación de generalizar al conjunto lo mejor conocido, o aquello que tiene aparentemente más fuerza, o un carácter sencillamente más vistoso. Segundo, evitar una idea abstracta de la patria centroamericana. La historia de la región debe ser un resultado de la comparación de procesos, estableciendo tanto los puntos de convergencia como las especificaciones de cada país; y debe atribuirse a estas últimas un carácter tan significativo como a los aspectos comunes.

El rol de los factores internacionales debe considerarse en una óptica parecida. La región ha sido siempre percibida como una unidad o como parte de un área todavía mayor. Pero la existencia de políticas así definidas no garantiza, por sí misma, efectos uniformes en cada uno de los países del istmo. Debe notarse, empero, una situación peculiar. En una región dividida, pobre y marginal, como la que nos ocupa, el peso relativo de los factores externos es, y ha sido siempre, muchísimo mayor que en el caso de países más grandes, como Brasil, México o Argentina.

*   *   *

Lo que se propone al lector es una historia breve. Un apretado panorama general desde el siglo XVI a nuestros días. Se busca llegar a un público amplio, deseoso, en estos años críticos y difíciles, de lecturas que le ayuden a comprender el presente. Las disparidades de hoy hallan su clave en el pasado, y basta recordar que el futuro, ese tiempo de lo posible o lo utópico, no es para nada independiente de la historia. El ayer pesa quizás en Centroamérica mucho más que en otras zonas, y extiende a cada paso un inevitable hálito de amargura. En un viaje reciente me tocó volar, en una parte del trayecto desde México hasta Costa Rica, sentado a la par de una india guatemalteca que hablaba el castellano con poca soltura. Al acercarnos a Ciudad de Guatemala llené su tarjeta de desembarco (la señora era analfabeta). Cuando pregunté por su nacionalidad no pareció comprender la pregunta; insisto: —¿Es

usted guatemalteca? —No —respondió con seguridad— soy de Totonicapán. —¿Vive usted en Totonicapán?, pregunto en seguida. —No
—es la respuesta—, yo vivo en Ciudad de Guatemala. Para poner la
fecha exacta de nacimiento y el número de pasaporte debo pedirle el
documento, el cual acredita, con la pomposidad y suficiencia de las
modernas burocracias, que se trata de una ciudadana de Guatemala. La
anécdota trasciende la simple curiosidad porque ese diálogo no puede
entenderse sin un recurso a la historia; a un pasado de siglos que vive
todavía y se mueve.

*   *   *

Alcanzar la brevedad y concisión en el texto no fue tarea fácil.
Tampoco fue sencillo lograr una apreciación regional sin sacrificar la
originalidad de las evoluciones nacionales. Y no estoy seguro de haber
logrado dominar ese desafío. Me ayudó, en todo caso, una ya larga
experiencia docente y de investigación en algunas universidades del
área: las de El Salvador y Honduras hace ya tiempo, y la de Costa Rica
desde 1974. El *Woodrow Wilson International Center for Scholars,* en
Washington D.C., me proporcionó, entre mayo y agosto de 1984, la
oportunidad de trabajar en la Biblioteca del Congreso y los *National
Archives* de los Estados Unidos, en medio de magníficas facilidades
para la investigación y un distinguido ambiente intelectual. Este pequeño libro es, en cierta forma, un prefacio para una investigación mayor
sobre Centroamérica en el siglo XX, que comencé a preparar en dicho
centro. Debo incluir, por último, mis sinceros agradecimientos a varios
colegas y amigos que comentaron con dedicación partes o el conjunto
del libro: Ciro F.S. Cardoso, Carolyn Hall, Marcello Carmagnani y
Nicolás Sánchez-Albornoz. Los mapas fueron dibujados por Rigoberto
Villalobos, y financiados por la Vicerrectoría de Investigación de la
Universidad de Costa Rica. Como en todos mis trabajos, la ayuda y el
apoyo brindados por mi esposa probaron ser indispensables.

San José, Costa Rica, marzo de 1985.

Capítulo 1
La tierra y los hombres

1.1 *Los condicionamientos del medio natural*

Una imponente cadena de volcanes y selvas de variada espesura tropical que se recortan sobre el mar; he aquí el primer dato de la geografía centroamericana. Tierra de contrastes; el más acentuado de todos es quizás la oposición entre los altiplanos montañosos del centro, cuyas laderas descienden en ondulaciones suaves hasta la costa del Pacífico, y, cortadas abruptamente, las planicies del sector Atlántico, que cubren una extensa zona de clima caliente y abundante espesura tropical. El contrapunto prosigue entre los suelos feraces, de origen volcánico, y clima templado, con precipitaciones bien distribuidas entre la estación de lluvias y la estación seca, en la zona central y toda la fachada del Pacífico, y, por otra parte, la espesura del Atlántico, engañoso paraíso sobre suelos lateríticos, con problemas permanentes de drenaje y las amenazas naturales de la exuberancia microbiana; una importante excepción, sin embargo, los valles de algunos ríos que descienden de las montañas centrales a las aguas cálidas del Caribe, verdaderos oasis de agricultura de plantación.

¿Geografía difícil? No hay ríos navegables. El San Juan, entre la frontera de Nicaragua y Costa Rica, es la excepción que confirma la regla. Escasean los puertos naturales de aguas profundas y la comunicación terrestre ha estado siempre demasiado cargada de dificultades. Las

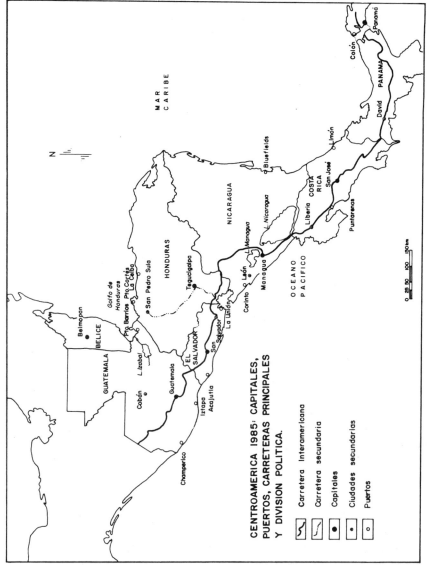

CENTROAMERICA 1985: CAPITALES, PUERTOS, CARRETERAS PRINCIPALES Y DIVISION POLITICA.

Carretera Interamericana
Carretera secundaria
Capitales
Ciudades secundarias
Puertos

MAPA 1.—La carretera interamericana articula el istmo, de norte a sur, conectando los altiplanos centrales a lo largo de la fachada del Pacífico.

tierras altas centrales y las laderas del litoral pacífico constituyen, como lo sabían bien los pueblos del lejano pasado precolombino, el escenario natural más favorable para la agricultura y el sostenimiento de poblaciones humanas de cierta densidad. Pero una geografía que se reparte espléndidamente en valles y mesetas, entre vastas cadenas montañosas, impone también una dificultad intrínseca de vertebración. Las planicies apenas conmueven esa discontinuidad estructural de la geomorfología y el poblamiento: en el sur de El Salvador y el golfo de Fonseca (sur de Honduras), y en la región de los grandes lagos de Nicaragua. El aislamiento entre regiones finalmente prevalece. El Camino Real que vertebraba el istmo en la época colonial, era, en largos trechos, apenas una manera pomposa de llamar a una senda de mulas. Los ferrocarriles, construidos en su mayor parte a finales del siglo XIX, apenas si proveyeron una salida hacia los puertos para los productos de exportación. Y la Carretera Interamericana de hoy, construida en gran parte durante la Segunda Guerra Mundial, fue extendida hasta Ciudad de Panamá recién en 1964. El cabotaje nunca constituyó una alternativa muy efectiva para poblaciones concentradas en los altiplanos centrales, lejos de las costas, y en un litoral con puertos poco favorables. La aviación parece, en estas circunstancias, un medio ideal, privilegiado. Pero es una opción costosa, y a menudo muy arriesgada.

Terremotos y erupciones volcánicas en la faja del Pacífico, huracanes en la zona atlántica, dominan al trazar una geografía de las desgracias. En 1541, Santiago de Guatemala sufre su primera destrucción. León, en Nicaragua, es cambiada de sitio en 1610 para escapar a temblores y erupciones. En 1717 un terremoto destruye los mejores edificios de la capital colonial, y no faltan intenciones de cambiarla de sitio. No menos de diez erupciones del volcán de Fuego, que corona la ciudad, se suceden entre 1700 y 1773. Y en este último año ocurre una nueva catástrofe. La magnífica arquitectura de Santiago de Guatemala se derrumba y tres años después la administración colonial decide trasladar la ciudad al Valle de la Ermita. Managua sucumbe en 1931 y 1972. La lista resultaría interminable. Convivir con temblores y volcanes es parte indisoluble de la vida en Centroamérica desde hace siglos.

Aunque sólo una pequeña proporción de los huracanes, típicos del Caribe y el Golfo de México, llegan a las costas de Centroamérica, cuando ello ocurre la catástrofe se cierne sobre amplios sectores de la vertiente atlántica. Así sucedió en 1931, cuando un terrible ciclón casi destruyó a la ciudad de Belice. Hubo fenómenos similares en 1955 y 1961. Particularmente devastador en la costa de Honduras fue el huracán Fifí, en 1974.

El istmo une las dos masas continentales americanas, frente a las islas del Caribe. ¿Se trata de un puente gigantesco; o más bien de un arco continental que completa el vasto archipiélago descubierto por Colón; o simplemente nos enfrentamos a una prolongación del norte mexicano? La historia, más que la geografía, hizo prevalecer la tercera alternativa. En las vísperas de la conquista, la unidad cultural de las civilizaciones aborígenes se extendía desde México central hasta el norte de la actual Costa Rica. Y las estructuras de la colonización española permitieron afirmar esa vasta unidad mesoamericana.

Panamá, la zona más angosta del istmo, y también más próxima a Suramérica, tuvo un destino divergente y solitario. Fue y sigue siendo, un lugar privilegiado de tránsito. Aislada de la actual Colombia por la impenetrable selva del Darién, desde 1543 recibió por mar la fabulosa riqueza de las minas peruanas. El transporte terrestre implicaba una extensa movilización de mulas y un vasto complejo defensivo que culminaba en Portobelo, sobre el Caribe (hasta 1596 se usó el puerto más vulnerable de Nombre de Dios). De allí partían cada año las flotas de galeones con destino a España. El sistema, que perduró hasta 1739, no ocultaba un ingrediente de quimera fantástica: once meses de inactividad tropical, y luego unos treinta días de movimiento fogoso y rutilante, en que todo parecía surgir de la nada. Y el ciclo se reiniciaba año tras año, con la sola interrupción de los ataques de piratas y corsarios. Pero el tono menor, impuesto después de 1650 por el declive de la minería peruana, disminuyó poco a poco las necesidades de mulas y abastos. El aislamiento de Centroamérica se impuso así, poco a poco, pero quedó definitivamente consumado a mediados del siglo XVIII.

La importancia estratégica de Panamá, dentro del imperio colonial español, selló, en cierto modo, la suerte de Centroamérica. Las potencias europeas rivales comprendieron muy bien que en el mar Caribe estaban los puntos más débiles del vasto imperio. A mediados del siglo XVII los ingleses se adueñaron de Jamaica y merodearon continuamente en la bahía de Honduras. Las maderas preciosas motivaron asentamientos permanentes en Belice y la Mosquitia, lugares también de contrabando y de hostigamiento a las autoridades españolas. El poblamiento de la zona atlántica agregó un nuevo y profundo contraste

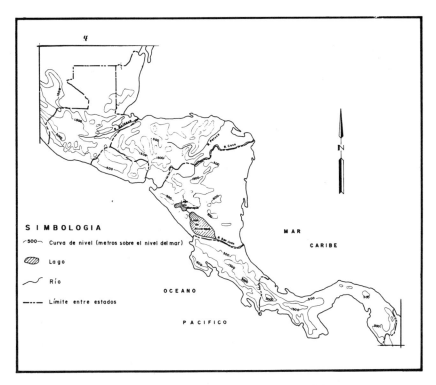

MAPA 2 a.—América Central. Configuración superficial.

a la fisonomía centroamericana. Con escasos aborígenes en una selva inhóspita y caliente, los asentamientos dispersos se nutrieron de afroamericanos, en su mayor parte provenientes de Jamaica. El auge de las plantaciones bananeras y la construcción ferroviaria, a finales del siglo XIX, reforzaron esos rasgos culturales gracias a una renovada corriente migratoria de aquella procedencia.

El siglo XIX replanteó la cuestión estratégica. Primero se trató de conflictos interimperialistas por el control de una vía interoceánica. Las opciones eran particularmente dos: la conexión por el sur de Nicaragua, aprovechando las condiciones navegables del río San Juan y el gran lago de Nicaragua, y la vieja ruta colonial de Panamá. En la segunda mitad del siglo XIX la balanza de poder se inclinó, progresivamente, a favor de los Estados Unidos. Y a finales del siglo XIX la presencia norteamericana en el Caribe se tornó hegemónica. En 1898, luego de la guerra con España, se produjo la anexión de Puerto Rico y el

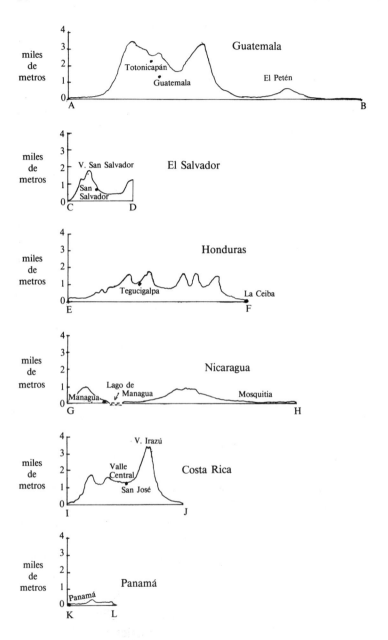

MAPA 2 b.—Perfiles del relieve centroamericano.

protectorado sobre Cuba. Por el tratado Hay-Paucenfote de 1901, Gran Bretaña liberó a los Estados Unidos del compromiso de 1850, que prohibía a ambas potencias el control unilateral de un canal interoceánico en el área. La independencia de Panamá en 1903 y la inmediata negociación del tratado canalero completaron los elementos básicos del nuevo dominio. Cuando se inaugura el Canal de Panamá, en 1914, el Caribe es un verdadero *Mare Nostrum* de la marina norteamericana.

En el siglo XX, la defensa del canal y la seguridad de ese punto tan estratégico en el comercio mundial pasaron a ser un objetivo esencial y permanente de la política exterior de los Estados Unidos. Desde la época del Big Stick a los años de la Guerra Fría poco cambió en la percepción norteamericana de Centroamérica: se trataba de una zona marginal, a menudo turbulenta e inestable, cuya «pacificación» se

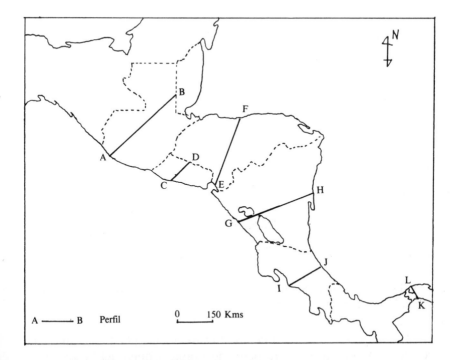

MAPA 2 b.—Perfiles del relieve centroamericano.

imponía a cualquier precio, dada la proximidad estratégica del Canal y la posibilidad de construir una vía alternativa en otra zona del istmo. Pero la cuestión cubana desde 1959, y la mucho más reciente revolución sandinista en Nicaragua (1979), han modificado notoriamente el panorama. La hegemonía de Estados Unidos en el área se encuentra ahora seriamente desafiada, y en la última década el istmo ha conocido una insólita ola de crisis económica, protesta social y fuertes reivindicaciones nacionalistas. Todo ello ha puesto los problemas centroamericanos, tan variados como complejos, en un plano de permanente actualidad internacional.

Puede así comprenderse la miseria de un destino caracterizado a menudo con la despectiva expresión de *Banana Republics*. Un microcosmos de culturas y sociedades divergentes, una «balcanización» que se remonta a las entrañas de un pasado distante y a menudo irreconocible desde el presente, la ceguera del provincialismo y los celos de aldea; todo ello frente a los intereses de las grandes potencias. Y en el ajedrez de las rutas marítimas, la fuerza naval y la potencia militar, Centroamérica fue siempre percibida como una unidad, definida por la geopolítica y el significado puramente estratégico.

1.2. *Un mundo rural y periférico*

La importancia estratégica contrasta fuertemente con la pobreza y limitación de los recursos económicos —otro dato estructural a lo largo de toda la historia de la región.

La agricultura basada en la roza, con diferentes períodos de barbecho, ocupó siempre a la mayoría de los habitantes de Centroamérica, y el cultivo del maíz fue, desde los tiempos precolombinos, el pilar de la subsistencia. Sobre esa actividad básica se superpusieron diversas producciones para la exportación, que, hasta el predominio del café durante la segunda mitad del siglo XIX, acusaron un fatídico rasgo común: el de experimentar ciclos cortos y localizados, siempre sujetos a la enfermedad del agotamiento temprano.

La depredación es otro rasgo más o menos permanente en la vida centroamericana. A la cruenta aniquilación de la vida en el siglo de la conquista le siguió un lento pero inexorable saqueo del bosque y la fauna silvestre. Las maderas preciosas de la costa norte de Honduras y de Belice, contribuyeron, en no poca monta, a la reconstrucción de Londres después del «Gran Fuego» de 1666. Los cortes ganaron intensidad durante el siglo XIX, alimentando una floreciente industria de la madera, manejada por grandes compañías inglesas y norteamericanas. Sólo las cadenas montañosas detuvieron, temporalmente y ya entrado el siglo XIX, ese avance depredador a lo largo del extenso litoral atlántico. Algo similar en consecuencias ecológicas sucedió también en la costa del Pacífico, afectando particularmente el golfo de Fonseca y el litoral de Nicaragua. Este saqueo selectivo del bosque (maderas preciosas, hule, brea, etc.) constituyó apenas una primera fase del ciclo depredador. Hoy vemos el saqueo extendido a los bosques en las montañas centrales, y el arrinconamiento de lo poco que queda de la riquísima fauna silvestre. Vastas zonas de la Centroamérica actual están ya, o lo estarán a corto plazo, en un severo «entredicho ecológico».

El istmo no tuvo nunca el monopolio de productos valiosos, y los costos de producción y de transporte de muchos de los bienes exportables resultaron, a la postre, desfavorables frente a los de países productores más grandes. Con una débil o escasa integración a los circuitos comerciales coloniales, la región cobró así desde temprano una fisonomía de comarca marginal, sumida en los confines del tiempo más que en las condenas del espacio.

Esos ciclos de exportación, breves y frustrados, reforzaron reiteradamente la fragmentación y el aislamiento, consagrando la debilidad secular del poder estatal, otro rasgo estructural en la historia de la región. Las relaciones de jerarquía y dominación social asumieron así formas de violencia descarnadas, en beneficio casi exclusivo de las clases propietarias. Esa desmesura de los privilegios privados puede explicarse, en buena parte, por el débil dinamismo de las economías de exportación, lo cual no dejaba a las clases dominantes otra alternativa que una relación de poder del tipo «juego de suma-cero»: un salvaje ajedrez en el cual lo que unos ganan redunda en pérdida absoluta para los demás. Encomenderos de antaño, comerciantes añileros del siglo XVIII o exportadores de café de un pasado más reciente, todos comparten de algún modo ese cúmulo desmesurado de privilegios privados.

La historia profunda del istmo se confunde con la vida rural, pobre y atrasada, de un campesinado sometido, acostumbrado desde siempre a arañar la subsistencia y robarle tierra a la montaña. Con pocas bestias y escasas herramientas, en un terreno quebrado que con frecuencia

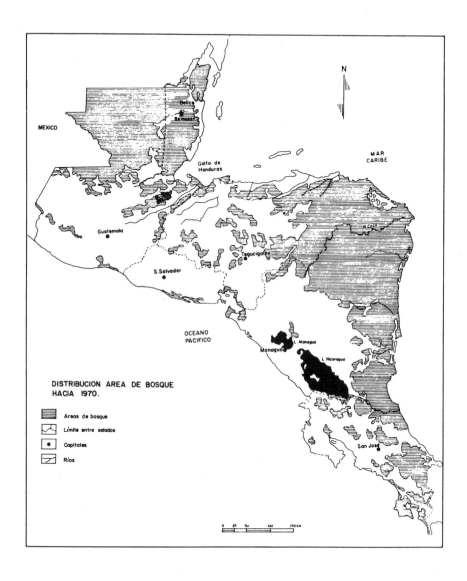

MAPA 3.—Poco va quedando de los exuberantes bosques tropicales. Nada ya en las tierras centrales y las laderas del Pacífico. Las principales reservas se localizan en el Petén y la Mosquitía. La información básica se tomó de H. Nuhn, P. Krieg y W. Schlick, *Zentralamerika. Karten zur Bevolkerungsund Wirtschaftsstruktur,* Hamburg, 1975.

desafía la rueda, esa vida nunca fue fácil, y dependió casi exclusivamente de la energía humana y la generosidad del suelo. La dificultad en las comunicaciones reforzó esos tonos de sencillez precaria, y los hundió por un rato muy largo en la propia espesura del tiempo.

Etnia y raza agregan tintes multicolores a la desnudez de las relaciones de explotación. La variedad es un resultado innegable de la historia; legados de las culturas precolombinas y del poblamiento afroamericano de la costa atlántica desde el siglo XVII. Pero todas son culturas sometidas, alienadas, con las raíces rotas. Y en esa imposibilidad de lograr una identidad cultural total reside, precisamente, uno de los rasgos más sutiles de la dominación.

Más allá del exotismo, esa amplia gama de culturas ha permitido que la dominación se sirva del prejuicio como una máscara que oculta y justifica la situación de inferioridad de la inmensa muchedumbre de los de abajo. Así fue como, en la forja de la «Patria Criolla», el prejuicio racial no dejó nunca de ser un mecanismo fundamental. Primero, garantizando la «pureza» de sangre española frente a indios y castas; después, bajo la República Independiente, encarnando el ciudadano prototipo en la sangre «criolla», —apretada simbiosis de español y mestizo—. La exclusión de indios * y negros fue una invariable regla social (a fines del siglo XIX se agregó la de los chinos). Ésta encontró eco, hasta bien entrado el siglo XX, en muchas medidas de segregación (tácitas o expresas) y en prohibiciones.

El inmenso poder ideológico de la Iglesia fue característica notoria en la formación de las sociedades centroamericanas. Pieza básica en el modelo de dominación colonial, complementó con eficacia la debilidad del poder estatal frente a los cuantiosos privilegios privados. El avance del poder secular fue lento y a menudo difícil; hubo un primer intento en la segunda mitad del siglo XVIII, bajo los Borbones de la España Ilustrada. Pero hay que aguardar hasta finales del siglo XIX para observar un triunfo laico más o menos significativo: es la época liberal, del positivismo, la educación controlada por el Estado y la consagración definitiva de la libertad de cultos. No debe, empero, exagerarse el alcance de estos logros. La inmensa mayoría de los centroamericanos

---

* La calidad de «indio» se define por rasgos puramente culturales: lengua, traje, vivir en la comunidad, etc. Ya en el siglo XVIII, y debido a la mezcla de razas, la identificación mediante rasgos puramente fenotípicos resultaba difícil, si no imposible.

siguió siendo analfabeta, pobre y atrasada; y con el retroceso de la Iglesia cesó también el viejo paternalismo. La pureza y el anonimato de las relaciones contractuales sustituyeron en buena parte los vínculos personales y la dosis de protección implicada por una estructura social rígida y laberíntica.

Aldeas más que ciudades, y un aplastante predominio rural se combinaron con el aislamiento entre provincias y regiones, las consabidas dificultades de transporte y el lúgubre dinamismo de las economías de exportación. Todo esto se impuso durante siglos y apenas comenzó a cambiar en el último cuarto del siglo XIX. Urbanización e industrialización son, en Centroamérica, hechos recientes. Mucho más nuevos, en su impacto sobre el conjunto de la sociedad, que en la mayoría de los países latinoamericanos.

La frontera es otro elemento cuya presencia ha sido permanente en la vida del istmo. La lucha con la selva, la lluvia inexorable y las montañas agrestes fue una imposición de la naturaleza al poblamiento disperso y limitado. Aunque no faltó el espejismo de riquezas inconmensurables en tesoros o minas, la dura realidad impuso otra regla también secular: la frontera no fue nunca una tierra prometida. Por eso la incorporación económica del territorio fue un proceso tan lento y gradual, vivido sobre el escalón de varios siglos.

La creación cultural reflejó como un espejo este mundo rural, laberíntico y atrasado; estas sociedades inmóviles y polarizadas. La alienación y el extrañamiento fueron típicos en la vida y en la obra de los grandes artistas.

Naturaleza, costumbres, fauna y paisaje, se desgranan en los versos latinos de la *Rusticatio Mexicana,* obra compuesta por el jesuita guatemalteco Rafael Landívar (1731-1793) en las penurias económicas y morales del exilio italiano. Publicados en Módena en 1781, los quince cantos en majestuosos hexámetros, serán valorados a fines del siglo XIX por Menéndez y Pelayo, y traducidos y publicados en forma completa en castellano recién en 1925. Un siglo después de Landívar, Rubén Darío (1867-1916), hijo de Nicaragua y ciudadano del mundo, revoluciona las letras hispanoamericanas. Pero su poesía es incomprensible sin la vida en París, Madrid y Buenos Aires. Cuanto más universal, más profundo y extraordinario en la creación literaria, más extranjero en su propia tierra. Quizás sea ésa una de las claves de la tragedia personal de Darío.

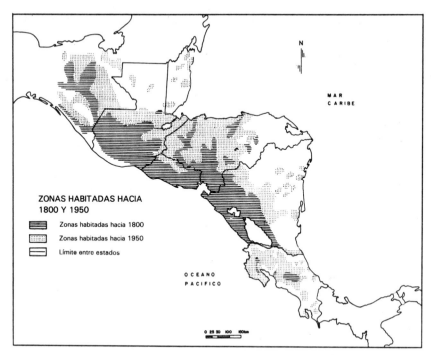

MAPA 4.—Puede observarse la penetración, relativamente lenta, desde el Pacífico y las tierras altas centrales hacia las costas del Atlántico. El Salvador posee, ya a finales del período colonial, una escasa frontera de colonización. La mayor expansión del poblamiento se produce en Honduras y Costa Rica. Las zonas habitadas hacia 1800 se establecieron siguiendo la lista de lugares habitados que aparece en: Adriaan C. van Oss, «La población de América Central hacia 1800», *Anales de la Sociedad de Geografía e Historia de Guatemala*, tomo 55, 1981. Las zonas pobladas hacia 1950 se dibujaron a partir de los mapas de densidades de población correspondientes a los censos de ese año.

La erudición ofrece otros ejemplos no menos significativos. El salvadoreño Francisco Gavidia (1863-1955), humanista notable, vivió fuera del tiempo, sentado, como en un cuento fantástico, en una imaginaria biblioteca del siglo XVIII, o dialogando con discípulos y amigos en la Atenas de la época helenística. Quizás más dotado de realismo, el hondureño Rafael Heliodoro Valle (1891-1959) halló en México un ambiente más propicio para sus portentosas condiciones de polígrafo y literato, y vivió allí rodeado de actividades tan variadas como dispersas. Menos pretenciosa pero más efectiva en los hechos fue la labor de periodista y maestro del costarricense Joaquín García Monge (1881-

1958). Publicar *Repertorio Americano*, desde 1919 hasta su muerte, no sólo fue una obra admirable de tesón y empuje continuo. Constituyó también una contribución inapreciable al diálogo y a la crítica, abriendo caminos en la búsqueda de cierta identidad común entre diversos medios intelectuales, dentro y fuera del istmo.

Miguel Ángel Asturias (1899-1974) dio a la temática centroamericana una dimensión universal incomparable. Su vasta novelística conjuga vida, pasiones y sufrimientos, naturaleza y lenguaje, utilizando medios de expresión literaria de absoluta originalidad. Maestro del llamado «realismo mágico», abrió, como Rubén Darío, un nuevo sendero para las letras de la América Latina entera. Pero exilio y extrañamiento no le fueron, por cierto, ajenos. Conoció las leyendas y religión de los mayas con un erudito francés, y en 1927 publicó el *Popol Vuh* en París, traduciéndolo de una versión francesa. Aunque vivió buena parte de su vida lejos de Guatemala, fue el primero que logró expresar la temática centroamericana en un lenguaje de alcance universal. Sin duda, ha sido más leído y apreciado fuera de la propia patria, que en su tierra y por los hombres que inspiraron su lenguaje torrencial y transparente.

Más cerca de la obra colectiva, la arquitectura y el arte religioso colonial decantan una expresión auténtica y menos extranjera. Lo que sobrevivió a terremotos, erupciones y saqueos, revela una profunda originalidad, simbiosis de lo español y de lo indígena, tanto en las técnicas, materiales y colores, cuanto en el variado lenguaje de las formas. En cierto modo, el arte religioso se convirtió así en vehículo de la cultura popular. Es fácil apuntar las razones para ello: se trataba de un medio para el desempeño de una práctica religiosa, cotidiana y ambigua. La dominación colonial se afianzaba con el triunfo católico, pero en los ritos, ceremonias y devociones sobrevivían los dioses y mitos paganos derrotados con la conquista. Esa doble lectura sobre las mismas imágenes y oficios, esa profunda ambigüedad de significados, era parte integral de los mecanismos de dominación ideológica del mundo colonial.

Hundido en la memoria colectiva, el folklore sobrevive apenas, y en muchos casos desaparece. ¡Han sido tan pocos los interesados en preservar en el lenguaje escrito la diversidad de danzas, piezas de teatro, coplas y otras tradiciones populares! Algunos religiosos en la época colonial; más tarde etnólogos de profesión o vocación, las más de las

veces extranjeros. De lo que sobrevive podemos mencionar el Varón de
Rabinal o Rabinal-Achi, un drama-ballet de la Guatemala precolombi-
na, transcrito en 1856 y publicado en francés en 1862. El Gueguense o
Macho-Ratón, farsa bailada, se conserva en dialecto nahuatl-nicara-
güense; a diferencia del Rabinal-Achi, es un puro producto de la sociedad colonial, en cuanto a tema, lenguaje y caracteres culturales mestizos. La poderosa influencia europea que acompañó el florecimiento
liberal de la segunda mitad del siglo XIX aplastó casi todo lo demás.
Sujeta al desprecio de las clases dominantes y al desdén de los sectores
medios, la cultura popular con raíces en el pasado colonial sobrevivió
en las fiestas y prácticas religiosas. El exotismo arqueológico atrajo, en
cambio, a los grupos dirigentes, siempre dispuestos a la venta de piezas
en Europa o los Estados Unidos. Y así, mientras los grandes museos
poblaban secciones nuevas con estelas mayas o primorosas piezas de
jade, los nuevos ricos centroamericanos adornaban sus casas con ara-
ñas, espejos y mármoles, sin que tampoco faltaran columnas griegas,
arcos góticos y aun minaretes árabes, en una curiosísima simbiosis de
estilos y gustos arquitectónicos. Cisnes, princesas y trompetas corona-
ron las fiestas y las conversaciones de salón en vísperas de la Primera
Guerra Mundial. Con menos recursos pero con igual ansia, los sectores
medios copiaron sin descanso esos hábitos, de buena educación y *sa-
voir vivre.* Los escritores costumbristas garantizaron, si no entreteni-
miento —para eso estaban las novelas de folletín—, al menos un toque
de buena conciencia: en su mundo idílico, de tierra venturosa y arroyos
cristalinos, la miseria campesina era apenas una desgracia fatal disimulada en el colorido del paisaje y la ternura de los sentimientos.

Con el siglo XX, la cultura de masas penetró, profunda y decisivamente, en el corazón de las sociedades centroamericanas. Su impacto
ideológico sólo puede compararse al de la conquista española en el siglo
XVI. Vicios y virtudes de la civilización norteamericana penetraron, por
cierto, antes que las propias industrias; precedieron a la disciplina del
trabajo en la fábrica y a la organización empresarial capitalista. Los
sectores medios modificaron drásticamente sus pautas de consumo,
adaptándolas con aplicación al *american way of life,* y las clases dominantes cambiaron a París por Miami. Pero el impacto de los nuevos
hábitos y costumbres no se limitó a la cúspide; permeó, en grados
diversos, todos los escalones de la pirámide social. Radio, cine y televi-
sión, unidos al proceso de urbanización, explican la rapidez y profundi-

dad de esos cambios, los cuales también se reflejan en la migración de trabajadores hacia Estados Unidos —las más de las veces en condición ilegal—. El fútbol reemplaza poco a poco las procesiones en la preferencia popular, mientras que las sectas protestantes discuten con no menos brío el predominio católico.

El desarrollo urbano trajo también, después de 1950, cierto florecimiento de la cultura burguesa; teatro, literatura, artes plásticas, música, etc., conocieron así nuevos horizontes y medios de expresión. Aunque insignificante si se lo compara con el movimiento cultural de las grandes capitales latinoamericanas, como México o Buenos Aires, el fenómeno es significativo en la pobreza y atraso relativos de Centroamérica. Pero la gran variedad de estilos y escuelas, la riqueza de la experimentación, ocultan en parte una angustiosa e incesante búsqueda de valores propios. La creación artística revela otra vez, como un espejo, un rasgo de mayor alcance social: expresa, en el fondo, una profunda crisis en la identidad nacional.

1.3. *Unidad y diversidades regionales*

Comencemos con las evidencias de la geografía cultural. Hay, en verdad, varias Centroaméricas. En los altiplanos de Guatemala sobrevive el mundo colonial y precolombino de los mayas, con su diversidad de lenguas y etnias, pero unificado por una cultura material común, organizaciones comunitarias similares y un generoso sincretismo religioso. En 1984, la población indígena de Guatemala representa todavía casi el 50 por ciento del total de habitantes del país. En el resto del istmo, y excepción hecha de los altos de Chiapas (sur de México), poco queda de esta «Centroamérica indígena». Apenas algunos poblados miserables, sometidos al desprecio y la discriminación, y en franco proceso de desintegración.

En cuanto bajamos del altiplano guatemalteco hacia la costa del Pacífico, o nos adentramos en las tierras altas de Honduras y El Salvador, el cambio es notorio. Nos hallamos en la «Centroamérica criolla y mestiza». Desde el sur de Guatemala hasta el norte de Costa Rica, en toda la vertiente del Pacífico, los rasgos son inequívocos. Hombres del maíz, campesinos y peones, que combinan el ancestro maya o mexicano con rasgos españoles o criollos. Desde las prácticas agrícolas hasta la vestimenta, la vida cotidiana está presidida por una cultura común. Nada hay ya de la comunidad indígena y la unión umbilical con la tierra se ha sensiblemente transformado: quizás una «milpa» en tenencia precaria, o apenas un rancho en la periferia urbana, o cerca de alguna hacienda. La impersonalidad de las relaciones contractuales domina, se impone progresivamente, sobre cualquier otra clase de vínculo social.

Recorriendo los caminos de esta zona del istmo nos encontramos con un paisaje humano invariable: campesinos descalzos, con sombrero de paja y machete a la cintura, caminando incesantemente a la vera de la carretera; mujeres cargando bultos o cántaros en la cabeza; niños desnudos, con el vientre abultado y la mirada inquieta. En las épocas de cosecha camiones cargados de café, caña o algodón, alternan con contingentes de cortadores, en un tráfico incesante. Hay que ver las ciudades, en el bullicio del mercado, bajo el cielo azul y el sol ardiente del mediodía. Todo se nutre de la presencia campesina, pero, ¡qué lejos estamos del pintoresquismo y la parsimonia ritual de la plaza del altiplano guatemalteco! Las notas del viaje no pueden olvidar la visible presencia de guardias, casi siempre en pareja, con uniforme verde oliva e infaltables fusiles-ametralladora. Bajo el casco desaliñado se descubre en seguida el mismo rostro campesino y mestizo, repetido, grabado intermitentemente en la memoria de cualquiera que haya andado por estas tierras de valles y montañas empinadas.

La cultura criolla se reconoce apenas en los sectores medios urbanos y las clases terratenientes. Poco queda en realidad de la herencia española finamente percibida por Stephens o Squier a mediados del siglo XIX. Una selecta inmigración de empresarios y comerciantes, en su mayoría de procedencia anglosajona, nutrió los negocios cafetaleros y renovó drásticamente los hábitos de la clase dirigente. A esa nueva europeización, de finales del siglo XIX, le sucedió la impronta cultural norteamericana, a cuyo vasto alcance nos referimos antes.

Siguiendo hacia el sur de la vertiente del Pacífico, en las tierras altas de Costa Rica, la fisonomía básica de la «Centroamérica mestiza» se modifica parcialmente. La población es más homogénea, y el peso racial de la herencia europea más reconocible. Los rasgos culturales mesoamericanos son también más débiles: el consumo del maíz compite con la papa, y la tortilla con el pan. El clima y la vegetación también se modifican, la estación de lluvias es más prolongada y el verde reina

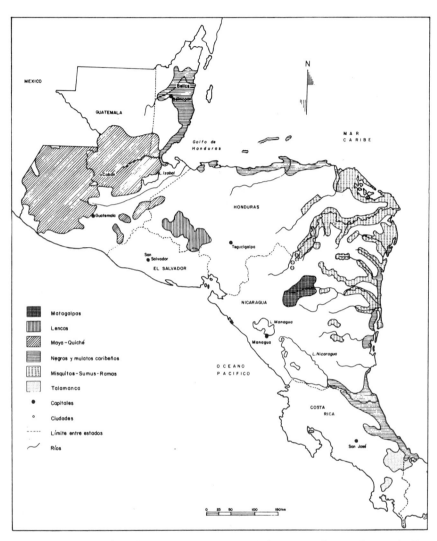

MAPA 5.—Las poblaciones indígenas del grupo Maya-Quiché predominan en Guatemala. En el resto de Centroamérica quedan pocos herederos del poblamiento precolombino: Lencas, en Honduras; Matagalpas, en Nicaragua, y Talamancas, en Costa Rica. Desde el punto de vista lingüístico, Misquitos, Sumus y Ramas pertenecen, al igual que los Talamancas a las lenguas Macrochibchas, de origen suramericano; pero racial y culturalmente han incorporado muchísimos elementos afroamericanos. Negros y mulatos caribeños predominan en Belice y la costa atlántica de Honduras y Costa Rica. La información básica fue tomada de West y Augelli, *Middle America,* Englewood Cliffs, Prentice Hall, 1976, p. 383, y el Atlas de Nuhn y otros, citado en el Mapa 3.

todo el año. Pero la vida campesina presenta la misma sencillez y rudeza, el mismo trajín de las otras tierras del café, el algodón y la caña. El aguardiente corona la faena semanal igual que siempre. Eso sí, se ven más escuelas y menos guardias, y, en general, menos pobreza y atraso. Basta comparar, en noviembre o diciembre, los contingentes de trabajadores que cosechan el café: no hay gente descalza, la ropa es más colorida, y no faltan *blue-jeans;* se observan más mujeres que en Guatemala, El Salvador o Nicaragua.

Si tornamos ahora de ruta, y recorremos Centroamérica por la costa del Atlántico, todo cambia de nuevo. En el hervidero de la selva tropical y el microcosmos de las plantaciones bananeras, las culturas negras vegetan o agonizan, extrañas a la historia y sujetas al poder y al desprecio de la «Centroamérica criolla y mestiza». Desde Belice hasta Costa Rica hallamos una «Centroamérica negra», hermana del Caribe afroamericano. Con la excepción de Belice, que alcanzó la independencia en 1981, se trata de minorías sometidas, de difícil integración al mundo de las tierras altas y el mar del otro lado. Un problema creciente, y aún sin resolver, para los gobiernos de Honduras, Nicaragua y Costa Rica. Complicado todavía más por el hecho de que la independencia de Belice, reconocida por todos los Estados, no cuenta todavía con la aprobación guatemalteca.

Toda esa diversidad cultural es una carga continua del pasado. Podríamos decir que soporta el peso terrible de la historia. Pero, ¿qué hay entonces de la «patria centroamericana»? ¿Existen estos países como naciones? ¿Cuál es la legitimidad de los Estados?

Sabemos bien que la política corre más ligera que las mentalidades y el sustrato cultural. La noción de una patria centroamericana se constituye lentamente, al mismo ritmo que las identidades nacionales. Señalemos siquiera los momentos básicos de constitución.

La simbiosis cultural «euroamericana» de la sociedad colonial constituye el primer elemento. El cimiento fundamental, pegado a la tierra y hundido en el corazón mismo de la montaña. Pero la herencia colonial es contradictoria: a esa cultura común, desde la lengua hasta las instituciones, se le agrega el separatismo. Sobre las jurisdicciones administrativas civiles y religiosas, establecidas a fines del período colonial, se delinean los límites de las futuras repúblicas.

La Federación Centroamericana tuvo una corta y trágica historia, entre 1824 y 1839. Después de esos años aciagos, los intentos de unión compartieron siempre el mismo carácter: resultaron irremediablemente fútiles y fueron el soporte de la ingerencia de unos Estados en los asuntos internos de otros. Por la misma época (finales del siglo XIX), el mundo agroexportador del café y el banano agregaba nuevos elementos de identidad en la lucha cotidiana por la vida y uniformaba el paisaje agrario de toda el área. Traía idénticos problemas a las economías nacionales, como la dependencia de los mercados externos y el monocultivo. Desde finales de la década de 1950, la industrialización añadió, en el contexto del Mercado Común Centroamericano, nuevos elementos compartidos. Y la profunda crisis económica, política y social, que agita todo el istmo desde finales de los años 1970 hasta hoy, constituye otro síntoma, no menos elocuente, de caracteres comunes.

La Patria Centroamericana ha sido redefinida varias veces a lo largo de la historia y, sin duda, lo será de nuevo en el futuro. Por ahora, no tienen lugar en ella la «Centroamérica indígena» y la «Centroamérica negra».

En el mundo moderno, la organización estatal corona el logro cultural y se considera todavía a los «Estados-Naciones» como la forma más acabada de realización de las sociedades humanas. La legitimidad es un atributo básico del Estado en cuanto ejercicio del poder, muy útil para caracterizar el tipo de orden social imperante y entender la naturaleza del régimen de gobierno. ¿Cómo se ejerce la autoridad? ¿Cómo obedecen los individuos a la coacción de la ley? ¿Cuán legítimo es considerado un Estado por sus «ciudadanos»?

Los estados centroamericanos tienen sus raíces en el período colonial; ya notamos que los límites políticos actuales se derivan, en gran parte, de las jurisdicciones administrativas de la segunda mitad del siglo XVIII. De esa época viene también una parte sustancial del legado institucional. La otra fuente básica proviene del siglo XIX: la independencia, las luchas civiles y la restauración conservadora, y finalmente, el triunfo liberal en la década de 1870. Estados Unidos, la Francia republicana y el constitucionalismo español proporcionan los modelos básicos, plasmados en sucesivas cartas constitucionales a lo largo del siglo. Pero otra vez el cambio político precedió con demasiada rapidez al cambio social y a la transformación en las mentalidades.

El liberalismo significó, invariablemente, el sometimiento de las masas campesinas a un nuevo orden, regido por las exportaciones de café al mercado mundial. El precio pagado: expropiación, coacción y violencia, no sólo fue un notorio «sacrificio inicial». Los costos sociales del exitoso desarrollo agroexportador fueron, a la postre, también soportados por el conjunto de la sociedad. La violencia y el Estado represivo se identificaron cada vez más con el orden establecido, y cien años después eran tan o más necesarios que al principio, para garantizar la «paz social». Nada podía ser más contradictorio que el ardiente liberalismo de las clases dirigentes a fines del siglo XIX; pero, por entonces, había al menos la esperanza de que, puestos los principios en la ley, el desarrollo capitalista aseguraría un futuro diferente, un progresivo «olvido» de la flagrante contradicción entre los derechos y deberes del ciudadano, estampados en la legislación, y las masas campesinas sometidas a la pobreza, la violencia y la explotación. Medio siglo después, ese anhelo grandioso había sufrido la trágica suerte de Ícaro: el ardiente sol se había ocupado de disolver el falso presupuesto del progreso y los cambios espontáneos; y como en el mito griego, la caída de aquel vuelo majestuoso resultó tan espectacular como horrorosa. Insurrecciones, muerte y pobreza, revelan, en su cíclica y fatal recurrencia, el fracaso de los terratenientes en su cometido de clase dirigente. El fin, si se quiere, de otro ilusorio Dorado. En este contexto, Costa Rica presenta las características de «excepción feliz» o resultado mágico de alguna casualidad. La evolución gradual, de una democracia representativa «ejemplar» y una notoria estabilidad política, no resultan de fácil explicación en el contexto señalado. Corrijamos, no obedecen a una simple explicación. Son, por cierto, el producto de una larga historia y el resultado de múltiples y variados factores. Magnífico material para una lección de historia comparada.

Belice y Panamá, en los extremos del istmo, no comparten por entero —como se anotó en la introducción— la historia centroamericana. Contribuyen, eso sí, a hacerla inteligible, y si la perspectiva fuera hacia el futuro, la consideración de ambos países resultaría indispensable. Como parte de ese contexto, examinaremos a continuación ciertos rasgos de esas historias, hasta cierto punto paralelas.

1.4. *Panamá*

Hacia el sur, el istmo se enangosta, las cadenas montañosas son más bajas, y se produce la unión con la masa continental suramericana. El

Darién, en la sección oriental, reúne características fisiográficas enteramente similares al norte de Colombia, y está cubierto por una selva tropical densa e impenetrable. En sus puertas se detiene la carretera interamericana, y el poblamiento se torna disperso, reducido a algunos miles de indios Cunas y grupos afrocaribeños. La colonización fracasó repetidamente en esa zona agreste y selvática: los españoles tuvieron que retroceder en 1520, en 1598, en 1621 y en 1784-92; un intento escocés fracasó entre 1698 y 1700 y lo mismo ocurrió con colonos franceses en los años 1744-1754. Y no fue distinta la situación en el siglo XIX.

Las condiciones de vida son mucho más favorables en el centro del istmo, y en la sección occidental, hacia la frontera con Costa Rica. Tierras particularmente aptas para la agricultura y la ganadería se suman a una circunstancia geográfica importantísima: es por aquí donde la travesía del istmo resulta más fácil y corta. La historia y la vida entera de Panamá giran en torno a ello, desde 1543. Vale la pena distinguir tres etapas básicas. La primera concluye en 1739 con la toma de Portobelo por los ingleses y el fin de las Ferias y el sistema de flotas. La segunda se desenvuelve durante la segunda mitad del siglo XIX, a partir de la inauguración del ferrocarril interoceánico, y la tercera comienza con la construcción del Canal y la Independencia de Panamá (1903). Las tres etapas implicaron cambios tecnológicos, económicos y políticos de gran significación, que conviene examinar aunque sea brevemente.

La economía del tránsito se configuró con rasgos firmes a mediados del siglo XVI. El tesoro de las minas peruanas llegaba por mar hasta la ciudad de Panamá, en el Pacífico, luego era transportado por mulas y esclavos hasta Nombre de Dios (sustituido por Portobelo a partir de 1597) en el Atlántico y allí transbordado a las flotas de galeones que continuaban hacia España. El sistema exigía un notable complejo defensivo y un abastecimiento continuo de mulas, víveres y esclavos, asegurado desde las zonas vecinas. Pero esos lazos económicos no tuvieron mucha continuidad, debido a la creciente amenaza de piratas y corsarios, a la declinación de la producción minera y a la no siempre coherente política colonial. Durante la segunda mitad del siglo XVIII, la población apenas sobrepasaba los 85 mil habitantes.

Los fletes, calculados por Alfredo Castillero Calvo, ilustran muy bien la naturaleza del tráfico panameño. Por kilómetro, son los más caros de todo el imperio colonial: cien libras de carga en el trayecto Panamá-Portobelo cuestan treces veces más que en la ruta Huancavelica-Potosí y cuarenta y siete veces más que entre Acapulco y Veracruz. Por eso mismo, sólo tiene justificación para el transporte de metales preciosos. Conviene anotar las causas de estos costos casi prohibitivos: las dificultades del trayecto, pero sobre todo lo caro de los insumos, que deben importarse (mulas y esclavos), y los gastos defensivos.

Las perspectivas del transporte interoceánico cambian durante el siglo XIX, con el ferrocarril y las posibilidades de construcción canalera. Se necesita, empero, de una motivación económica para tornar esas opciones rentables. Lo primero ocurre con el *Gold Rush* en California. En 1850 una compañía norteamericana se hace cargo de la construcción del ferrocarril transístmico, la cual finaliza cinco años después. El transporte de pasajeros y carga fue muy intenso hasta 1869, en que se inauguró el ferrocarril transcontinental, de costa a costa, en los Estados Unidos. Pero después sobrevino la decadencia. Los fletes seguían siendo, en términos comparativos, demasiado elevados. El auge mundial del comercio marítimo, y el exitoso ejemplo del canal de Suez, empujaron la odisea canalera. Lesseps fracasó (1880-1891) tanto en el plano financiero como constructivo, y la compañía del canal acabó vendiendo sus acciones a los intereses norteamericanos. En 1903 todo cambia: Panamá se independiza de Colombia, y los Estados Unidos asumen la construcción del canal. Pero el tratado canalero implica extraterritorialidad y derecho de intervención. Cuando finaliza la construcción, en 1914, la naciente república está dividida en dos, por la Zona del Canal, y ha sido transformada en un verdadero enclave colonial. La historia entera del Panamá independiente gira en torno a esa situación.

Panamá se independiza de España tardíamente, el 28 de noviembre de 1821. La élite comerciante opta por la unión con Colombia, aunque no faltan voces disidentes. El Congreso Bolivariano de 1826 tiene un significado apenas simbólico. La historia política del siglo XIX es un contrapunto permanente entre el separatismo, los intentos de reconstruir la vieja economía del tránsito, y el aislamiento de una región pobre y despoblada.

El separatismo es recurrente. Hay intentos en 1830, 1840 y 1850, y no faltan llamados al protectorado inglés y norteamericano. El Tratado de Paz, Amistad, Navegación y Comercio, celebrado entre Colombia y los Estados Unidos en 1846 establece la neutralidad del istmo y garantiza el libre tránsito. En 1855 Panamá se convierte en Estado Federal, situación que es reiterada en la constitución colombiana de 1863. El istmo no puede ser ajeno a los conflictos internos de Colombia. En 1885 la guerra civil se extiende por todo el país, y los Estados Unidos intervienen para garantizar el orden. Al modificarse la constitución colombiana, Panamá pierde toda autonomía. Una situación parecida ocurre en 1900, durante la «Guerra de los Mil Días». Los Estados Unidos vuelven a intervenir en Panamá. La Independencia y las negociaciones del tratado canalero son por entero paralelas en 1903. De hecho, todo ocurre bajo la protección de la marina norteamericana.

Las relaciones con Estados Unidos presiden la política panameña en el siglo XX. La economía del canal trae modernización y progreso, pero se trata de un país dividido, sometido en mil aspectos a la humillación colonial. A ello se agrega una identidad nacional muy débil, que se va forjando en las luchas por revisar el tratado de 1903. Como antes, el transitismo refuerza el aislamiento. Panamá mantiene escasas vinculaciones económicas con sus vecinos.

En 1936 Estados Unidos renunció al derecho de intervención, el cual había sido ejercido en 1918 en Chiriquí, y en 1925 en la propia ciudad capital, con motivo de la gran huelga de inquilinos. Pero la importancia económica y militar del Canal creció en forma continua, y el establecimiento conservó siempre un carácter vital para la seguridad norteamericana. En esas condiciones, cualquier revisión del tratado de 1903 que implicara aspectos de soberanía, tocaba intereses muy profundos y hería delicadas sensibilidades.

El movimiento nacionalista panameño adquirió particular empuje en 1959 y 1964, liderado sobre todo por estudiantes universitarios. Pero es con el ascenso al poder del General Omar Torrijos, en 1968, cuando la lucha cobra una nueva dimensión. La renegociación de los tratados, concluida en 1977, no sólo fue extraordinariamente laboriosa. Estuvo acompañada de una fuerte movilización popular, y de una diplomacia activa, que buscó y halló vínculos de solidaridad en América Latina e incluso en los países del Tercer Mundo. Aunque no todas las aspiraciones panameñas hallaron plena satisfacción, la Zona del Canal fue eliminada en 1979, y hubo un reconocimiento completo de la soberanía de Panamá sobre todo su territorio. Ha habido también pasos significativos en la difícil tarea de un manejo conjunto del Canal por parte de Panamá y los Estados Unidos.

Nuevos lazos, en particular con los países de América Central y la Cuenca del Caribe, y una renovada identidad nacional, parecen ser los aspectos más característicos de esta etapa reciente, pero transcendental, en la vida panameña.

1.5. *Belice*

El 15 de septiembre de 1981 Belice proclamó su independencia. Nacía así, 160 años después que sus vecinos, un nuevo estado centroamericano, producto de una larga historia colonial, y de un no menos largo proceso de descolonización.

Los españoles nunca ocuparon, en forma permanente, lo que es hoy el territorio de Belice. Misiones y expediciones militares intentaron, con éxito relativo, la reducción de las tribus mayas retraídas en las montañas selváticas del interior, durante todo el siglo XVII. A mediados del mismo siglo, en las costas, pantanosas y poco acogedoras, se instalaron bucaneros británicos. Muy pronto, se dedicaron al corte y exportación del palo campeche, cuyo tinte era particularmente apreciado por la industria textil europea. Durante casi dos siglos, la ocupación británica obedeció a un patrón parecido: cortes de maderas preciosas, campeche primero y caoba después, comercializados a través de Jamaica. España nunca cedió sus derechos territoriales sobre la zona aunque por los Tratados de París (1763) y la Convención de Londres (1786) otorgó a los ingleses concesiones para la extracción de maderas. Aunque precaria, la ocupación británica, prontamente complementada con el contrabando, fue permanente, y durante la segunda mitad del siglo XVIII fracasaron varios intentos españoles apra acabar con ella.

La explotación maderera era primitiva, y estaba sujeta a condicionantes estacionales. El palo campeche es pequeño, y crecía cerca de la costa; un cortador, auxiliado por dos o tres esclavos llevaba a buen término el trabajo. Pero la situación cambió con los cortes de caoba, y se requirieron más esclavos y capitales. Aunque estas actividades diferían de las clásicas en una economía de plantación, la esclavitud fue igualmente inhumana y opresiva, y el cimarronaje constituyó una reacción frecuente por parte de los esclavos. A fines del siglo XVIII unos pocos concesionarios disponían de la mayoría de los esclavos (unos 2.000 en total), y de los permisos para extraer madera. Como la Corona británica reconocía la soberanía española, nadie tenía títulos jurídicos de propiedad sobre la tierra. En los hechos, sin embargo, se poseía en forma privada.

Con la Independencia de Centroamérica en 1821, Belice pasó a desempeñar también un importante papel como plaza comercial intermediaria entre Guatemala e Inglaterra. Las exportaciones de caoba florecieron particularmente entre 1835 y 1847, y luego tendieron a decaer debido al agotamiento de los bosques más cercanos a la costa. A mediados del siglo XIX, la *British Honduras Company* (transformada en 1875 en la *Belize Estate and Produce Company*), formada por las familias más prominentes y capitales londinenses pasó a dominar casi toda la actividad económica de la colonia.

El gobierno local gozaba de cierta autonomía, y en él participaban los viejos pobladores. Pero esa situación cambió drásticamente en 1862, cuando Belice fue declarada colonia del Imperio Británico. Entre los factores que provocaron esta decisión hay que incluir el reconocimiento de la soberanía inglesa por parte de los Estados Unidos incluido en la Convención Dallas-Clarendon de 1856, y el entredicho en que se encontraban los asentamientos ingleses en la Mosquitia y las Islas de la Bahía. Por otro lado, el Tratado de 1859 firmado entre Guatemala y Gran Bretaña daba luz verde para hacerlo, ya que delimitaba las fronteras de la posesión y la reconocía.

La esclavitud fue abolida en 1838, pero los libertos quedaron sometidos a un régimen particularmente duro, en el que no faltaron los peones endeudados, el pago con fichas, y los castigos con trabajos forzados. Hacia 1870 hubo diversos ensayos de una agricultura de plantación, en la que predominó el cultivo de la caña de azúcar. Pero el éxito fue de corta vida, y en el conjunto la economía de Belice siguió dependiendo de los productos forestales (la extracción del chicle se expandió en los años 1880). Algunos contingentes de migración china e india se sumaron a antillanos y mayas (provenientes de Yucatán y Guatemala), lo cual contribuyó a formar un verdadero mosaico étnico en una población creciente, pero pequeña en términos absolutos: los poco más de veinticinco mil habitantes de 1861 apenas frisaban los cien mil individuos un siglo después. Racial y culturalmente se fue consolidando un nuevo tipo de criollos mestizos, que encontró renovadas oportunidades económicas con el progreso urbano y el desarrollo de vínculos comerciales con los Estados Unidos (especialmente después de la Primera Guerra Mundial). Con todo, la modernización de la colonia fue muy lenta, y la diversificación hacia actividades agrícolas y pesqueras sólo se implantó firmemente, después de una severa crisis económica, en los años posteriores a la Segunda Guerra Mundial.

Favorecidos en parte por la legislación inglesa, en parte por sus propias luchas, los asalariados lograron mejores derechos laborales (es significativo el retiro de los contratos de trabajo de la jurisdicción criminal), y en la década de 1940 comenzó a desarrollarse un importante movimiento sindical. El arduo y prolongado camino hacia la Independencia se inscribe dentro del proceso de descolonización del Caribe inglés, en las décadas de 1950 y 1960.

En 1954 fue implantado el sufragio universal y una Asamblea Legislativa. Aunque el gobernador conservó importantes poderes, fue un paso notorio hacia la democratización y la autonomía. Diez años después se pasó a un sistema parlamentario, en tanto que el gobernador retenía poderes únicamente simbólicos. Pero la proclamación de la independencia tardó casi veinte años, debido a la oposición de Guatemala. Dicho país reclamó como propio el territorio de Belice en varias ocasiones, amenazando incluso con la invasión en 1963 y 1972.

La independencia formal de Belice dependió en último término del reconocimiento internacional. La situación se modificó con rapidez a partir de 1975. El General Torrijos, en el contexto de la lucha de Panamá por la soberanía del canal, se aproximó a George Price, primer ministro de Belice, y llevó el asunto a varios foros internacionales. La solidaridad latinoamericana con Guatemala se rompió pronto, y el panorama cambió todavía más con la caída de Somoza (un fiel aliado de los militares guatemaltecos) en 1979. En 1980 la Asamblea General de las Naciones Unidas votó una resolución recomendando la independencia de Belice por 99 votos a favor y 7 abstenciones. Los Estados Unidos apoyaron esa resolución y en 1982 firmaron un convenio de asistencia militar y cooperación con Belice.

Las relaciones entre Belice y los demás países centroamericanos han sido continuas aunque débiles a lo largo de varios siglos. Pero la situación ha cambiado debido a la descolonización y a la independencia. El nuevo Estado comparte muchas características estructurales con sus vecinos del istmo, aunque cultural y políticamente provenga de una tradición distinta. Un territorio pequeño, una población escuálida, y recursos económicos muy limitados hacen difícilmente concebible su desarrollo en el largo plazo sin formas estrechas de cooperación con los países cercanos. Aunque esto incluye también a las antiguas colonias británicas del Caribe (Belice pertenece a la Comunidad Económica del Caribe, CARICOM desde 1971), como el mismo proceso de independencia lo prueba, la gravitación de los vecinos continentales, como México, Panamá y los países centroamericanos es de singular importancia, y sin duda que tenderá a crecer. Debe agregarse, además, el asentamiento de refugiados salvadoreños y guatemaltecos, que huyen de la guerra civil en sus respectivos países. Éste es un hecho tan novedoso como significativo, por sus eventuales consecuencias demográficas en el largo plazo.

1.6. Conclusión

Estudiar la historia de Centroamérica significa interrogar un espacio fragmentado, dominado por la diversidad física y cultural. Y hay que pensar también en duraciones recalcitrantes, que a menudo se apartan de lo mejor conocido y lo fácilmente explicable. El método comparativo reclama, en cada paso, su fuero provechoso pero erizado de dificultades. El ejercicio vale, en todo caso, desde diferentes puntos de vista.

En la óptica centroamericana tiene un valor por sí mismo, que es innecesario destacar, máxime si se tiene en cuenta que no es posible concebir el futuro del istmo sin acudir a diversas formas de integración.

En la perspectiva de la historia latinoamericana el interés es múltiple. Siempre es tentador reconstruir el pasado de una región tan vasta en base a los países mayores, ignorando a los más pequeños o, lo que es peor, cayendo en el estereotipo de las «Banana Republics». El estudio acucioso y comparativo de sociedades como las centroamericanas tiene, sin embargo, sus ventajas. Al tratarse de sociedades relativamente simples, —a veces cabría decir «micro-estados», o «micro-economías»—, muchos procesos pueden observarse con una simplificación privilegiada, que difícilmente aparece en sociedades más grandes y complejas. Algo parecido ocurre con el peso de los factores externos, mucho más notorio que en el caso de países de mayor tamaño. Todo esto facilita, por cierto, la observación controlada y el acercamiento a situaciones cuasi-experimentales. La exageración de ciertos rasgos, la inercia de un ayer demasiado resistente, la caricatura y el aparente absurdo de tantas cosas, contribuyen también para que esta indagación se convierta en una tarea urgente y fascinante.

CENTROAMÉRICA: *Población urbana en ciudades de más de 20.000 habitantes como porcentaje de la población total*

	1930	1950	1960	1970
Guatemala	10	11	16	16
El Salvador	10	13	18	20
Honduras	5	7	12	20
Nicaragua	18	15	13	31
Costa Rica	13	18	24	27
América Latina *	18	29	33	42

Fuente: *Statistical Abstract of Latin American,* vol. 21 (1981), cuadro 634, y vol. 22 (1983), cuadro 633.

* El porcentaje para toda América Latina ha sido calculado utilizando una ponderación referida al total de población de cada país.

CENTROAMÉRICA: *Uso del suelo en 1978 (porcentajes)*

	Cultivos temporales	Cultivos permanentes	Pastos	Otros usos *
Guatemala	13,3	3,2	8,1	75,4
El Salvador	24,5	7,8	29,0	38,7
Honduras	13,9	1,8	17,0	66,5
Nicaragua	10,3	1,4	26,0	62,3
Costa Rica	5,6	4,1	30,1	60,2

Fuente: *Statistical Abstract of Latin America,* vol. 22, 1983.

* Tierras no aptas para la agricultura, selvas, montañas, lagos, etc.

CENTROAMÉRICA: *Ingreso per cápita (en dólares de 1970)*

	1950	*1960*	*1970*	*1980*
Guatemala	293	322	417	521
El Salvador	265	319	397	399
Honduras	232	250	289	317
Nicaragua	215	271	354	309
Costa Rica	347	474	656	858
América Latina	396	490	648	870

Fuente: Statistical Abstract of Latin America (Los Angeles, UCLA), vol. 21, 1981; CEPAL, *Anuario Estadístico de América Latina,* 1983.

CENTROAMÉRICA: *Extensión territorial, población total y densidad por Km²*

	Extensión (miles de Km²)	*Población total (millones de habitantes)*		*Densidad (hab. por Km²)*	
		1950	*1980*	*1950*	*1980*
Guatemala	109	3,0	7,3	27	67
El Salvador	21	1,9	4,8	90	229
Honduras	112	1,4	3,7	13	33
Nicaragua	131	1,1	2,8	8	21
Costa Rica	50	0,9	2,3	18	46
TOTAL	423	8,3	20,9	20	49

Fuente: *Statistical Abstract of Latin America* (Los Angeles, UCLA, vol. 21, 1981; CELADE, *Boletín Demográfico,* núm. 32, 1983.

Capítulo 2
El pasado colonial (1520-1821)

2.1. *El siglo de la conquista*

En las vísperas de la invasión española el desarrollo de las civilizaciones precolombinas presentaba un notorio contraste. En los altiplanos de Guatemala y El Salvador, y en las tierras bajas de Yucatán y el Golfo de Honduras, vivían poblaciones indígenas densas, pertenecientes al área cultural mesoamericana, con neto predominio de grupos mayas, y sometidas a una creciente influencia mexicana. Al oriente de un eje imaginario que puede trazarse desde la desembocadura del Ulúa (en el Golfo de Honduras) hasta el gran lago de Nicaragua y la península de Nicoya, predominaban en cambio culturas de influencia suramericana y caribeña que arqueólogos y antropólogos denominan del «área intermedia» o «circuncaribe». Se trataba de poblaciones menos densas y relativamente dispersas, que practicaban la roza y el cultivo de tubérculos (sobre todo la yuca o mandioca), combinado con diversas formas de caza, pesca y recolección. La organización social de estos grupos aborígenes no sólo era menos compleja que en el área maya, sino también extraordinariamente variada, ya que incluía desde bandas y tribus hasta cacicazgos y confederaciones de cacicazgos.

La presencia mexicana, muy activa en el momento de la conquista española (anexión reciente de Soconusco, enclave comercial en el Golfo de Honduras, comerciantes-espías en las principales ciudades de los reinos mayas del Altiplano Guatemalteco), era vieja, sin embargo, de varios siglos. Los pipiles y los nicaraos, asentados en El Salvador y Nicaragua, respectivamente, provenían de oleadas migratorias del centro de México iniciadas posiblemente en el siglo IX. El mapa lingüístico del sector mesoamericano —un indicador valioso para la identificación cultural— muestra un complejo mosaico donde se entrelazaban lenguas nahuas y mayas, sin que fueran del todo ajenos algunos grupos de clara procedencia suramericana.

El maíz, cultivado con el sistema de la roza y períodos variables de barbecho, y diversas variedades de chiles, ayotes y frijoles, nutrían la vida civilizada en Mesoamérica desde hacía muchos siglos (al menos mil quinientos años antes de Cristo). La fragmentación política parece haber predominado —o mejor dicho ésa era la situación a la llegada de los españoles—, y las guerras enfrentaron a menudo a los diversos reinos mayas del Altiplano Guatemalteco. Se trataba, sin embargo, de sociedades jerarquizadas y estratificadas, con apreciable desarrollo urbano (centros ceremoniales más que comerciales), notable dominio de las técnicas arquitectónicas y sorprendentes conocimientos astronómicos. La guerra, los sacrificios humanos y una vasta mitología religiosa —los rasgos que más llamaron la atención de los invasores españoles— ocultan, con su vistosa originalidad, aspectos quizás más notorios, y en todo caso no menos creadores. Las prácticas agrícolas —aparentemente primitivas— obedecían a una profunda y delicada simbiosis entre hombre y naturaleza; y ese diestro conocimiento de los elementos permitió el florecimiento de nutridas poblaciones, quizás cercanas, en lo que es hoy El Salvador y Guatemala, a las densidades actuales.

Cristóbal Colón exploró la costa caribe de Centroamérica en su cuarto viaje, y en el Golfo de Honduras tomó contacto con las altas culturas precolombinas (1502). Pero salvo incursiones esporádicas, la conquista efectiva no comenzó hasta los años 1520. Hubo dos oleadas de expediciones convergentes: desde México (conquistado por Hernán Cortés en 1519) y desde Panamá (Balboa atravesó el istmo y descubrió el Océano Pacífico en 1513), precedidas por mortíferas epidemias de viruela, neumonía y tifus que comenzaron a diezmar las poblaciones aborígenes.

En el istmo no había unidades políticas importantes. La región era un mosaico de pequeñas confederaciones tribales, y la penetración fue difícil pues no había un centro de poder para dominar, como entre los aztecas y los incas. Fueron veinte años de luchas continuas, combinadas con la inevitable rivalidad entre los grupos conquistadores por el control y la jurisdicción sobre diversos territorios. El poder real y las misiones religiosas tardaron en establecerse, prolongando así el período de inseguridad y arbitrariedades en una zona que llenaba más de ilusiones que de riquezas. Todo condujo a que la región fuera percibida inicialmente más como un lugar de paso, o como base para otras expediciones, que como zona de asentamiento permanente.

Pedrarias Dávila fundó la ciudad de Panamá en 1519, y desde allí se dispuso a explorar la costa pacífica del istmo. Una expedición comandada por Gil González Dávila exploró el litoral de Costa Rica en 1522 y llegó hasta Nicaragua, donde encontró indios y oro, un atractivo notorio para continuar la conquista. Ello fue la obra de Hernández de Córdoba, un capitán enviado por Pedrarias en 1524, quien procedió a fundar las ciudades de León y Granada. Pero como ocurrió con frecuencia, los expedicionarios se rebelaron contra la autoridad de Pedrarias y la guerra civil fue inevitable en 1526. Pedrarias triunfó y aplicó la misma mano dura que había ya utilizado con Balboa en 1517: degolló a Hernández de Córdoba y permaneció como gobernador en León hasta su muerte en 1531.

Una vez consolidada la conquista de México, Cortés envió dos expediciones hacia Honduras, y pronto tuvo que intervenir en persona. Las fundaciones de Trujillo y Puerto Caballos (actual Puerto Cortés) en 1525 afianzan el control de la zona, disputada por Pedrarias desde Nicaragua. Entretanto, otro lugarteniente de Cortés, Pedro de Alvarado, penetraba en los altiplanos de Guatemala. Aprovechando las guerras entre los indígenas, Alvarado se alió con los Cachikeles para vencer a las tribus del Quiché en abril de 1524. La conquista continuó hacia el sur, dominando a los pipiles de El Salvador, y penetrando en el territorio de Honduras. Las fundaciones se sucedieron con prontitud: la ciudad de Guatemala en 1524 y San Salvador en 1525. Pero el control de los territorios fue problemático. En Honduras se produjo otro inevitable choque con las gentes de Pedrarias y la resistencia indígena fue tan notoria como creciente. La penetración en el interior de Honduras fue obra de Alvarado (fundaciones de San Pedro Sula y Gracias) y sobre todo del nuevo Adelantado Francisco de Montejo (fundación de Comayagua en 1537). Pero hubo grandes rebeliones indígenas por parte de poblaciones cuyo sometimiento probaba ser extremadamente difícil.

La colonización se consolida, sin embargo, en enclaves dispersos pero estratégicamente situados. Ello permite continuarla en los años siguientes, una vez que la mayor presencia de los funcionarios reales ayuda a solucionar los enojosos conflictos de jurisdicción.

Hacia 1540 la conquista alcanzaba las tierras altas centrales y las costas del Pacífico desde Guatemala hasta la península de Nicoya (noroeste de la actual Costa Rica). La caída del imperio Inca y los fabulosos tesoros del Perú reorientaron la evolución centroamericana. Hubo un primer ciclo corto y devastador que tuvo su auge entre 1536 y 1540, esclavizando a los indios de Nicaragua y Nicoya, en función de las necesidades del tráfico, en las Antillas, el Golfo de Honduras y en el litoral pacífico de Nicaragua, Panamá y Perú. Poco quedó, después de esos años asoladores, de las gentes y ciudades que observaron en la década de 1520 los primeros conquistadores. Desde 1543, Panamá reemplazó totalmente a Centroamérica en el tráfico transístmico y los cargadores indios fueron sustituidos por mulas. El oro de aluvión explotado con algún éxito en Honduras y la Nueva Segovia (en el norte de Nicaragua), no proporcionó una riqueza duradera, pero sí agregó nuevos y poderosos incentivos para la esclavización de los indios, diezmando poblaciones cada vez más escasas. Hacia 1560 toda esa riqueza quedó agotada, y el control de las autoridades civiles y religiosas se amplió considerablemente. La vida colonial se delineó así sobre rasgos más firmes y duraderos.

El asentamiento español quedó, sin embargo, limitado a las tierras altas del centro y las costas y pendientes del Pacífico. Esto es, la zona de clima más favorable y sobre todo de poblaciones indígenas más densas y de sometimiento más fácil. Las espesuras tropicales de la vertiente atlántica permanecieron, a pesar de algunos intentos de ocupación permanente, como una vasta frontera de penetración difícil, clima insoportable, indios bravos y riquezas quiméricas. De hecho, el control español se limitó a una estrecha franja costera entre la bahía de Amatique y el puerto de Trujillo (en el Golfo de Honduras), la desembocadura del río San Juan (en Nicaragua) y la zona atlántica de Costa Rica, entre los ríos Matina y Banano. La importancia estratégica de estos puntos contrastaba, por cierto, con su brevedad en el largo collar azul y esmeralda de la costa caribe. Se trataba, en efecto, de los puertos que conectaban las provincias del Reino de Guatemala con el sistema de flotas, en la ruta Veracruz-La Habana-Sevilla (la «Nao de Honduras» se sumaba o dejaba la flota según el caso, para proseguir en pos de Trujillo, Puerto Caballos o Santo Tomás de Castilla), o que permitían el cabotaje en el Golfo de Honduras, o entre Costa Rica, Portobelo y Cartagena. El tráfico de mercancías y pasajeros fue, de todos modos, azaroso y a menudo esporádico. Ello se debió tanto a los costos y dificultades del trayecto terrestre cuanto a las amenazas de piratas y corsarios, en un mar Caribe cada vez más disputado después del desastre de la Armada Invencible en 1588.

La organización política tendió a estabilizarse durante la segunda mitad del siglo XVI. La Audiencia, establecida en Santiago de Guatemala en 1548, tuvo, desde 1570, una jurisdicción que perdurará durante toda la Colonia, desde Chiapas hasta Costa Rica. Su presidente cumplía también las funciones de Capitán General y Gobernador, y nominalmente dependía del Virreinato de Nueva España (México). Pero en los hechos, la burocracia colonial se relacionaba directamente con la metrópoli, donde también se nombraba a las autoridades. El «Reyno de Guatemala» constituyó así un dominio de las Indias españolas relativamente autónomo, definido ante todo por la jurisdicción de la Audiencia.

Las jurisdicciones administrativas variaron relativamente poco hasta finales del siglo XVIII y respondieron más a las presiones e intereses de los grupos colonizadores asentados localmente que a estrategias de dominación y control de la propia burocracia colonial. Por ello, el poder político y administrativo tendió a fragmentarse en una diversidad de núcleos (hacia finales del siglo XVI había 4 gobernaciones, 7 alcaldías mayores y 11 corregimientos), todos ellos dependientes en igualdad de rango de la autoridad de la Audiencia (Véanse los mapas 8 y 9).

Los intereses locales tenían una sólida representación en el Cabildo. Aunque las formas de elección variaron a lo largo del tiempo, desde el voto por parte de los vecinos propietarios hasta la compra del cargo (práctica introducida en 1591), estos cuerpos colegiados municipales no sólo se ocuparon de la administración citadina; a menudo se enfrentaron con los funcionarios reales o pidieron la modificación de leyes que consideraban perjudiciales. La estrecha conexión con los intereses mercantiles de cada lugar no ofrece, en todo caso, duda alguna. A menudo se ha exagerado el carácter de oligarquía cerrada de los Cabildos en beneficio exclusivo de las familias fundadoras y sus descendientes criollos. Pero el estudio de Webre muestra cómo, durante el siglo XVII, la mayoría de los regidores del Cabildo de la ciudad de Guatemala eran peninsulares de inmigración reciente, vinculados al mundo mercantil.

Este acusado predominio de los intereses locales favoreció por una parte la fragmentación regional y, por otra, la concentración de poderes y privilegios económicos (sobre todo comerciales) en la ciudad de Santiago de Guatemala.

La congregación de los indios en pueblos y reducciones y la aplicación de las Leyes Nuevas de 1542 constituyó otro aspecto esencial en la estructuración de la sociedad colonial durante la segunda mitad del siglo XVI. El obispo Marroquín y los frailes dominicos completaron las reducciones en Chiapas, Guatemala y Honduras en la década de 1550. López de Cerrato, enérgico presidente de la Audiencia, entre 1548 y 1555, combatió la esclavitud indígena con cierto éxito y congregó los aborígenes en Nicaragua y El Salvador.

Los indios reducidos en pueblos y comunidades quedaron sometidos a dos obligaciones básicas: el tributo y el repartimiento «a labores». El primero, pagado normalmente en productos, era recaudado directamente por la Corona. Una parte de esos tributos fue cedida, como compensación, a los antiguos encomenderos. El segundo sustituyó —y no sin reticencias— a la encomienda de servicios. Los indios reducidos en pueblos y comunidades quedaron también obligados a prestar contingentes periódicos de trabajadores para el laboreo de minas, haciendas, construcciones urbanas y tareas de carga y transporte, mientras que los que disfrutaban del servicio debían remunerarlo con un salario. Pero más significativo que esa retribución, en muchos casos apenas teórica, fue el hecho de que el repartimiento de los servicios quedó en manos de la burocracia colonial. Las demandas y presiones de los intereses privados se combinaron en una trama infinita de solicitudes, concesiones y prohibiciones, difíciles si no imposibles de atender en un contexto de población indígena diezmada y declinante.

El tributo constituyó un eje fundamental, quizás la rueda maestra de toda la economía del «Reyno de Guatemala». Los indios reducidos estaban obligados a entregar anualmente a la Corona una renta en productos —cacao, maíz, trigo, gallinas, miel, etc.—, establecida mediante la tasación de la Audiencia. Los antiguos encomenderos gozaron de una parte de esos tributos, graciosamente cedidos por la Corona,

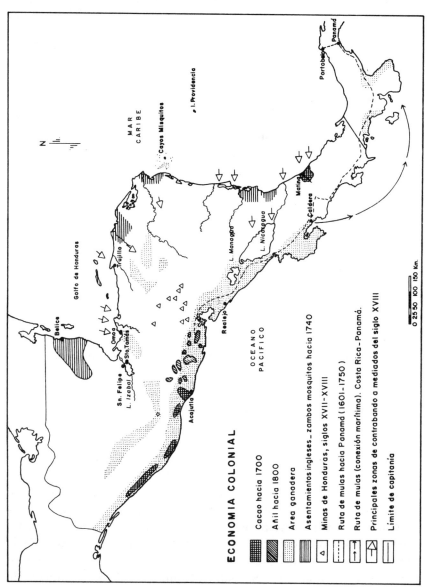

MAPA 6

ECONOMIA COLONIAL

Cacao hacia 1700

Añil hacia 1800

Area ganadera

Asentamientos ingleses – zambos mosquitos hacia 1740

Minas de Honduras, siglos XVII–XVIII

Ruta de mulas hacia Panamá (1601–1750)

Ruta de mulas (conexión marítima). Costa Rica–Panamá.

Principales zonas de contrabando a mediados del siglo XVIII

Límite de capitanía

pero con el correr de los años ese privilegio privado de la primera hora de la colonización (difícil de transmitir por herencia) fue perdiendo importancia. Así, por ejemplo, en 1689 había en todo el Reyno de Guatemala 93.682 indios tributarios, de los cuales, 32.959 estaban obligados con 147 encomiendas, mientras que los 60.723 tributarios restantes sólo lo hacían para el tesoro real y la Iglesia. Un siglo más tarde los indios en esa condición de tributarios ascendían a 114.234 y ya no existían encomiendas.

La organización de los pueblos combinó rasgos indígenas precolombinos con patrones típicamente hispanos, dejando un amplio margen para la simbiosis cultural. El sojuzgamiento aborigen asumió así formas y mediaciones complejas, pero que pueden quizás expresarse sumariamente en los puntos siguientes:

a) Los indios gozaron de autonomía en la vida y organización interna de los pueblos, bajo la vigilancia cristiana de los curas doctrineros.

b) Los caciques y principales, agrupados en el cabildo indio, fueron responsables de la administración y justicia de cada pueblo, de la recolección de los tributos y la prestación del servicio del repartimiento.

c) A nombre de la autoridad real, el Corregidor de Indias o Alcalde Mayor exigía las contribuciones y las distribuía entre sus diversos beneficiarios, regulando así el funcionamiento del sistema.

d) La Audiencia y los funcionarios específicos (jueces visitadores, etc.) vigilaban el cumplimiento de las leyes y, al menos en teoría, corregían abusos y exacciones en perjuicio de los indios.

Hubo dos condiciones para que funcionara y perviviera esta compleja arquitectura social. La primera de orden ideológico, la segunda de tipo demográfico. La Iglesia y la cristianización —mitigando en no pocos casos la dureza de la explotación— proporcionaron la sumisión y el convencimiento necesarios; el nuevo sistema de valores, primeramente entrelazado con rituales y cultos precolombinos, hizo de la dominación un don del Cielo. La segunda condición se refiere al hecho de que el inexorable pero regionalmente diferenciado decrecimiento de la población indígena dictó pautas objetivas para la reproducción y supervivencia de los pueblos de indios. Pero, aunque el descenso demográfico obedeció en buena parte a un imperativo biológico —la «unificación microbiana del mundo»—, la presión por la mano de obra y las condiciones de vida y trabajo de los indios repartidos, jugaron también un papel devastador fundamental. En otros términos, parece haber existido una densidad demográfica crítica, por debajo de la cual los pueblos de indios desaparecían, o bien perdían su fisonomía y carácter, convirtiéndose en asiento de foráneos: mestizos, mulatos..., toda la variedad imaginable de castas, e incluso españoles pobres.

La colonización de la Verapaz, en la vertiente atlántica del altiplano guatemalteco, merece una consideración aparte. El Padre Las Casas logró una autorización real, en 1537, para que los frailes dominicos procedieran a la evangelización pacífica de esa región, que los españoles llamaban «tierra de guerra». Los indios no serían repartidos en encomiendas, y se evitaría toda ingerencia de los colonos peninsulares. La sujeción y reunión de los aborígenes en pueblos fue un éxito, y durante los primeros diez años la experiencia lascasiana tuvo mucho de admirable, en un contexto colonial caracterizado por la explotación, la violencia y el terror. Pero después de 1547 las cosas no fueron sencillas. Las Casas regresó a Europa y los frailes parece que perdieron el empuje de los primeros años, al tiempo que se incrementaban las presiones de los conquistadores de las zonas vecinas. La evangelización pacífica fue imposible de continuar, sobre todo en el Petén debido a la indomable resistencia de los Lacandones e Itzáes, y los mismos misioneros acudieron a la guerra. Al correr de los años, la situación de los indígenas en la Verapaz se pareció cada vez más a la del resto de Guatemala, y se fueron borrando las huellas de la algo utópica experiencia inicial.

Desde mediados del siglo XVI, el cacao, un cultivo precolombino que los españoles empezaban a apreciar, sobre todo en Nueva España, comenzó a exportarse con éxito desde la región de Izalco (en El Salvador). La producción, en manos de las comunidades indígenas, que la entregaban como tributo a encomenderos y comerciantes, se extendía principalmente alrededor de la villa de Sonsonate, —«tiene más de trezientos vezinos, y aquí ay mucha contratación de rropa y cacao», dice una relación de 1594—, prolongándose en toda la costa pacífica de Guatemala hasta Soconusco (Chiapas). El auge, notorio en la década de 1570, fue, sin embargo, de corto aliento y paralelo en destino al de las minas de plata hondureñas. En efecto, la explotación de los minerales descubiertos a partir de 1569 en la región de Tegucigalpa fue difícil y hubo siempre un notorio desfase entre el número de denuncios y las minas en operación (en 1581, por ejemplo, de más de 300 denuncios en Guazucarán sólo había trabajando tres o cuatro minas). La escasez de mano de obra, las dificultades de abastecimiento de mercurio, la carencia de técnicas adecuadas y de personal cualificado, explican, entre otros factores, lo corto del auge (1575-1584) y el estancamiento de la producción a nivel mediocre y declinante (un promedio anual aproximado de 7.000 marcos hasta 1610, menos de 5.000 después de ese año). A título comparativo, puede notarse que por los mismos años, la producción de las minas de Zacatecas, en México, superaba con creces los 100.000 marcos anuales. Carencia de mano de obra, fletes altos y en conjunto costos de producción muy elevados, y, en consecuencia, poco competitivos, acabaron frustrando esos primeros ciclos exportadores del cacao y la plata. La situación se repetirá, incansablemente, en la vida centroamericana, hasta la segunda mitad del siglo XIX.

La población indígena, azotada por las epidemias, —particularmente el gran matlazáhuatl de 1576-1577—, y las duras condiciones de trabajo y supervivencia, decayó en forma sostenida durante la segunda mitad del siglo XVI. El vacío demográfico, ya particularmente notorio en Nicaragua y el Golfo de Nicoya, impulsó desde mediados del siglo la penetración y el asentamiento español en las tierras altas de Costa Rica. Con la fundación de Cartago en 1564 se cierra el primer ciclo de la Conquista; de norte a sur, en los altiplanos y en la fachada del Pacífico, el dominio colonial está consumado. No ocurre lo mismo, sin embargo, con las espesuras tropicales del Atlántico, que conservarán por varios siglos todavía el carácter de frontera agreste, difícil, desconocida y peligrosa.

2.2. *La depresión del siglo XVII*

A finales del siglo XVI, la estructuración colonial de Centroamérica adquirió una fisonomía más definida, cuyos rasgos duraderos conviene distinguir regionalmente.

En Guatemala, El Salvador y ciertas zonas del occidente de Nicaragua, la presencia indígena siguió siendo notoria a pesar de las severas crisis demográficas. Pudo perdurar allí, en consecuencia, una sociedad colonial «típica», de ciudades y villas españolas, haciendas o plantaciones, y comunidades indígenas sometidas al tributo y al repartimiento. Estos rasgos persisten hasta el final del período colonial.

En la mayor parte de Honduras y noroeste de Nicaragua la población indígena quedó estrechamente reducida y dispersa, en una zona que contaba con riquezas minerales de difícil explotación. Las haciendas ganaderas constituyeron una alternativa complementaria, probablemente única, para los colonizadores españoles de esa región extensa e inhóspita, con pequeños centros urbanos y casi al margen del sistema político comercial español.

En el litoral del Golfo de Fonseca (sur de El Salvador y Honduras y norte de Nicaragua), importantes zonas del occidente de Nicaragua y el norte de Costa Rica (Guanacaste), favorecidas por la situación geográfica del área, que facilitaba el traslado del ganado en pie y por una actividad que requería poca mano de obra, la ganadería de grandes haciendas tuvo mejores perspectivas: abastecer de productos ganaderos al resto de Centroamérica, y sobre todo proporcionar las mulas requeridas por el tráfico panameño.

La orientación e intensidad del ir y venir de los rebaños dependió naturalmente, de los polos de atracción. Hasta la segunda mitad del siglo XVII Panamá reinó sin disputa. Pero, luego, la decadencia de las ferias de Portobelo y las amenazas de piratería provocaron un cambio de rumbo, de alcance histórico definitivo. El tráfico se orientó hacia el norte, abasteciendo de productos ganaderos a Guatemala y El Salvador, mientras que los contactos hacia el sur se detenían en el Valle Central de Costa Rica. Del Golfo de Fonseca al Golfo de Nicoya, ese corredor ganadero custodiado por los lagos y volcanes del occidente de Nicaragua formará parte indisoluble de la vida centroaméricana.

En las tierras altas centrales de Costa Rica la colonización asumió formas particularmente características. Zona aislada y con escasa población indígena, los también escasos colonizadores españoles que permanecieron tuvieron que dedicarse a la agricultura de subsistencia. A esos caracteres del Valle Central se sumó el de zona fronteriza. Más allá de Cartago, en las espesuras de la Cordillera de Talamanca, había indios de guerra, belicosos e indomables. Los intentos de conquista fracasaron allí durante todo el siglo XVII, y ello reforzó la peculiaridad colonial de la provincia de Costa Rica. El gobernador Fernández de Salinas podía escribir al Rey en 1651:

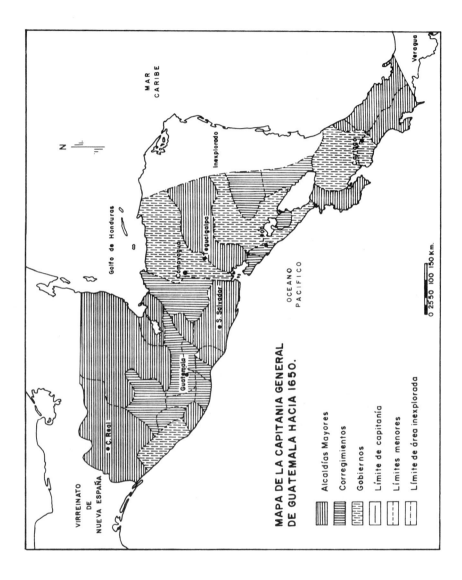

MAPAS 7 y 8.—Estos dos mapas de la organización administrativa colonial muestran la paulatina definición territorial de los Estados actuales. Revelan también la extraordinaria variedad y la no poca confusión en la jurisdicción político-administrativa. Hacia 1650,

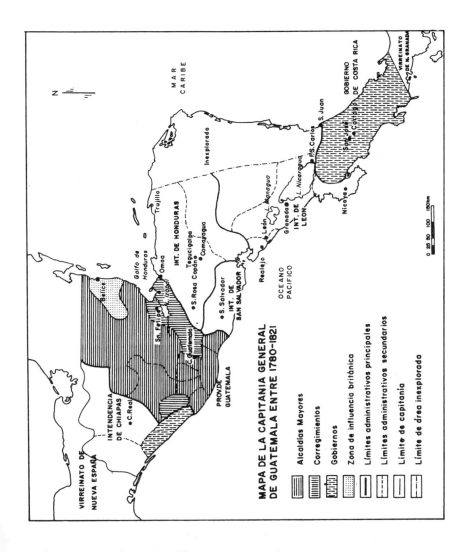

Centroamérica es un mosaico de Alcaldías Mayores, Gobiernos y Corregimientos. A finales del siglo XVIII, la situación está más simplificada, gracias a la aplicación de la Ordenanza de Intendentes en 1785-86.

«en esta Provincia de Costa Rica no han quedado ochocientos indios, con que está sumamente pobre, y en el real patrimonio de V. M. se ve la experiencia, pues con más de mil ducados de lo que pertenece a vuestra real caja, no alcanza para pagar los salarios de gobernador y curas.»

Los rasgos que acabamos de exponer, perceptibles ya a finales del siglo XVI, se profundizaron durante la larga depresión del siglo XVII. El breve repunte de algunos ciclos de exportación en torno al índigo, el cacao y la plata no alteró el aislamiento de la región. La vida centroamericana se ruralizó progresivamente.

La economía del «Reyno de Guatemala» se articulaba gracias a los ejes fundamentales de la dominación colonial. En la base predominaba la producción de subsistencia; en los pueblos de indios, haciendas y rancherías, y las ciudades y villas poco florecientes y aisladas, el autoconsumo presidía la vida cotidiana. En seguida vienen los mercados regionales: el ganado, los cueros y el sebo; el algodón de la costa que abastece los altiplanos; las subsistencias requeridas por los minerales inhóspitos y desolados... Por fin, el comercio exterior: poco para exportar, dificultades por doquier y, sobre todo, inmensa necesidad de los productos importados: desde mercurio para las minas y todo tipo de herramientas, hasta los vinos y el aceite indispensables en el santo sacrificio de la Misa.

El Reino vive del tributo indígena. De él provienen en el siglo XVII más del 70 por 100 de los recursos fiscales. Pero como el grueso de la tributación es en productos, ella también proporciona los bienes del comercio criollo, satisfaciendo así el consumo urbano: maíz, trigo, algodón, lana, cacao, hilaza, etc. La subasta pública de esas mercaderías permite su ingreso en la Caja Real como moneda, y con ello el pago de salarios y otros gastos del Estado, y las remisiones a la metrópoli (en el período 1647-1666 estas últimas superaron una media anual de 100.000 pesos). Los corregidores y alcaldes mayores agregaron un mecanismo de explotación de los indios, prohibido pero nunca erradicado, y de particular importancia en Guatemala. Se trata del «repartimiento de mercancías». Éste consistía en la distribución de algodón para hilar, con la obligación compulsoria de devolver la hilaza respectiva, y la venta forzosa de ciertos productos. El sistema, aparte de producir pingües ganancias a sus beneficiarios, tenía dos finalidades: asegurar la producción de ciertos bienes, como la hilaza y los textiles, y forzar la monetarización del comercio indígena. Éste, particularmente activo entre las comunidades del altiplano guatemalteco, llegaba incluso a la ciudad capital, donde no era infrecuente ver indios que, de puerta en puerta, ofrecían pescado del lago Atitlán.

Motines y rebeliones fueron una respuesta común en los indios sometidos a las exacciones de alcaldes, corregidores y clérigos. De particular importancia fue la gran sublevación de los Zendales, en los Altos de Chiapas, en 1712. Abarcó 32 pueblos de indios y asumió un carácter particularmente violento. Durante seis meses los aborígenes resistieron a las tropas enviadas desde Guatemala y Tabasco, y fueron claras las intenciones de un sustraimiento total al dominio español. La represión fue lo suficientemente dura como para aterrorizar a las comunidades rebeldes, con ejecuciones masivas y traslados forzosos de población.

En el conjunto de la economía del Reino, el repartimiento a labores pesaba mucho menos que el tributo o el repartimiento de mercancías. Guardaba, eso sí, una importancia notoria en el corregimiento del valle de la ciudad de Santiago de los Caballeros, esto es, la ciudad capital. Las haciendas de añil, en la faja costera de El Salvador y el norte de Nicaragua, no se beneficiaron de él hasta 1737, mientras que para las minas de Honduras fue un sistema apenas ineficiente de abastecimiento de mano de obra durante toda la colonia. De hecho, en ambos sectores, al igual que en la ganadería, el recurso a peones mestizos, asalariados y endeudados con sus patrones, fue más temprano que en cualquier otro.

Sin cuño hasta 1733, el aislado Reino de Guatemala padeció de una singular hambre monetaria. La debilidad de la producción exportable corría pareja con las dificultades para los envíos al exterior. Después de 1640 la crisis del poder naval español en el Caribe torna la metrópoli cada vez más inaccesible, mientras que el contrabando incipiente es una solución todavía poco madura. En estas circunstancias, y dada la decadencia del cacao, producto favorito de México, el comercio con Perú se torna vital. Prohibido en varias ocasiones y finalmente permitido con restricciones a lo largo del siglo XVII, dicho tráfico proporcionará vino y moneda acuñada a cambio del añil demandado por los telares peruanos.

La Iglesia constituía un sector fundamental de la sociedad colonial. No sólo representaba la dimensión espiritual de la Conquista y un instrumento de control ideológico de los indios colonizados; su poderío económico, en recursos y propiedades, era inmenso. El clero secular, estrechamente supeditado a la autoridad real, estaba organizado en cuatro obispados: Chiapas, Guatemala, Honduras y León; mientras que las órdenes religiosas (dominicos, franciscanos, mercedarios y betlemitas eran las más poderosas) se encargaban de las reducciones y misiones en las zonas de frontera, a la vez que administraban diversos colegios, hospitales y hospicios. El Estado proveía a la Iglesia con una parte de los tributos, mientras que toda la población no indígena estaba sometida al diezmo. Las donaciones de particulares en propiedades o rentas perpetuas eran particularmente importantes. Pero esa masa de recursos retornaba parcialmente a los sectores productivos, ya que la Iglesia era el principal agente financiero de la época.

Cofradías y hermandades cumplían un papel importante en el sostenimiento del culto y la participación de los fieles en la vida religiosa. Se trataba de asociaciones dedicadas a la honra de un Santo Patrono, que debían contar con la aprobación previa del Obispo. Existieron en todos los medios sociales y en todas las parroquias, pero adquirieron particular relieve en los pueblos de indios. Sus bienes provenían de limosnas y donaciones, no estaban sujetos a la alcabala, e incluían dinero efectivo, haciendas y ganado. Con el flujo producido por estos bienes (el dinero se colocaba a interés) las cofradías sufragaban los gastos del culto, construían y mantenían iglesias y santuarios, y organizaban festejos y celebraciones. A su paso por Guatemala, Tomás Gage (1625-1637) constató que:

«Hay otros dos o tres que ellos llaman mayordomos, quienes son los mullidores de las cofradías de la Virgen o de los Santos. Su ocupación es la de salir por el pueblo y recoger las limosnas para la conservación de la cofradía; de acumular todas las semanas los huevos para el cura y están obligados a darle cuenta de todas las limosnas que hayan reunido, y de darle todos los meses o todos los quince días dos escudos para hacer cantar una misa en honor del Santo Patrón de la cofradía.»

Esta ingerencia de los clérigos probó ser creciente, y fue repetidamente denunciada a lo largo del siglo XVIII como parte de los múltiples abusos cometidos con los indígenas.

La importancia económica y social de las cofradías fue en aumento hasta convertirse en un verdadero eje articulador de la vida religiosa y cultural. Su impacto económico no era menos significativo. Así por ejemplo, en 1774 la diócesis de Guatemala (comprendida también El Salvador) tenía 122 curatos y casi dos mil cofradías y hermandades, las cuales poseían un capital cercano a los trescientos mil pesos y más de cincuenta mil cabezas de ganado.

En la vida religiosa de estas instituciones hubo un amplio espacio para la simbiosis cultural, entre formas de religiosidad cristiana y aborigen. Fuentes y Guzmán lo subraya, no sin aprensión, en su *Recordación Florida* a finales del siglo XVII:

«...así también celebran hoy las festividades de los santos que llaman Guachibales; danzando en torno, con el tesón que adelante diremos, adornados de las mismas galas que usaban en aquel engañado tiempo; pero sus cantares se reducen a la alabanza de los santos, refiriendo y representando sus milagrosas historias, compuestas por sus ministros. Pero en sus sacrificios gentílicos, después de haberlos perfeccionado en sus ceremonias bárbaras, repartiéndose las familias, volvían a sus casas regocijados y alegres a desquitar el ayuno que les habían antecedido; porque les tenían dispuestas muchas y abundantes viandas, que a costa del rey se daban como limosna pública, a que se entregaban con excesiva y bestial gula, y mucho más a la gran cantidad de la chicha...»

El retroceso español en el Caribe tuvo hondas repercusiones en la vida centroamericana. Primero fueron los ataques de piratas y corsarios, —desde finales del siglo XVI una amenaza constante para las flotas que transportaban los tesoros de México y Perú—, ávidos de botín en una costa con pocas defensas, aparte de las que proporcionaba el mismo medio natural. Luego se trató del asentamiento colonial, buscando en la ocupación permanente actividades lucrativas más duraderas. La colonización inglesa se inició en 1624 (Saint Kitts) y culminó en 1655 con la toma de Jamaica. Los holandeses penetraron en las Antillas Menores en la década de 1630, pero fueron desviados muy pronto por los atractivos del nordeste brasileño (ocupación de Recife, 1630-1654). Francia colonizó Guadalupe y Martinica en 1635.

La penetración de otras potencias europeas en el Caribe no sólo rompió la hegemonía española en la zona, sino que preparó dos transformaciones fundamentales: a) el paso de la piratería y el pillaje al contrabando; b) un renovado interés en la extracción y cultivo de cierto productos tropicales, con lo cual cobró vida un nuevo tipo de explotación colonial, ya ensayado en Brasil: la plantación esclavista. A finales del siglo XVII, la fisonomía del Caribe no podía ser más disímil que la de una centuria atrás. Los majestuosos galeones españoles ya no reinaban en el mar de azul intenso y transparente; el tráfico negrero estaba en pleno auge y la población africana de las islas superaba los cien mil esclavos (a finales del siglo XVIII sobrepasará el millón con holgura). La fiebre mercantil invadía las plantaciones y el azúcar conquistaba Europa. La dureza del trabajo trocaba así los desvelos retintos de los infelices esclavos africanos en nuevo y finísimo oro blanco. La costa atlántica de Centroamérica fue convirtiéndose, poco a poco, en un pálido y lejano reflejo de esas nuevas Antillas.

Los piratas se presentaron en diversas ocasiones y por ambos océanos. Particularmente mortíferos fueron los asaltos de Davis (1655) y Gallardillo (1670) sobre Granada, y el saqueo del Olonés en San Pedro Sula (1660). Pero la selva tropical del Atlántico proveyó a las tierras altas centrales de un medio defensivo natural particularmente efectivo. Los asentamientos ingleses constituyeron un desafío mucho más serio a la hegemonía española en Centroamérica. El establecimiento colonial de la isla de Providencia (1631), frente a la costa de Nicaragua, constituyó el primer paso, seguido en 1633 por la ocupación del cabo Gracias a Dios y la penetración en las costas de la Mosquitía. Aunque el desarrollo de una economía de plantación fracasó y la reacción española no se hizo esperar (en 1641 los ingleses fueron desalojados de Providencia), la presencia británica en la costa perdurará durante más de dos siglos. Los cortes de maderas preciosas, primero el saqueo y pillaje y después el contrabando, constituirán actividades lucrativas, y de difícil por no decir imposible control, por parte de las autoridades españolas. Los ingleses tuvieron en los indios miskitos, aborígenes de la zona, inmejorables aliados. Mezclados rápidamente con los esclavos africanos introducidos en los primeros asentamientos —se agregan los sobrevivientes de un barco negrero portugués que naufragó frente a la costa en 1641—, y denominados por ello «sambo-misquitos» (o mosquitos, según una corrupción del nombre indígena ya observable en el siglo XVIII), compartieron pronto la misma animadversión hacia los españoles. La destrucción de Trujillo en 1643 constituyó la revancha inglesa por el desalojo de Providencia. Pero el hecho fundamental lo constituye sin duda la toma de Jamaica en 1655. Desde esa base insular, la red dispersa de asentamientos ingleses por toda la costa tendrá lo necesario:

protección, abastecimiento y un buen lugar para la salida de los productos.

En la década de 1660 los cortes de maderas preciosas se extendieron a las costas de Yucatán, en la bahía de Honduras. De ellos nacerá, en el siglo XVIII, el asentamiento de Belice.

A finales del siglo XVII el Reyno de Guatemala era apenas poco más que una comarca olvidada de un imperio decadente. Como si fuera poco, sobre esta tónica de mediocridad y pobreza se abaten coyunturas catastróficas: plagas, epidemias e incluso hambre y escasez de alimentos en la década de 1680 y 1690; terremotos en 1688. Los ataques de los piratas y las incursiones de los zambos mosquitos arrecian en todo el fin de siglo y los comienzos del nuevo. Los grandes terremotos de 1717 coronan la desgracia: la propia capital del Reino sufre la destrucción de sus mejores edificios.

2.3. El siglo de las luces

La recuperación económica, el cambio social y la transformación política fueron la tónica del siglo XVIII. Pero hay que aguardar hasta 1730 y aun 1750 para percibir con claridad estas nuevas realidades. En parte producto de una coyuntura económica general, particularmente favorable en toda la América Colonial, en parte resultado de la acción política de la nueva dinastía borbónica; la recuperación se impone con lentitud. En todo caso, los índices no se prestan a engaño. La población crece continuamente y llegan inmigrantes españoles de la metrópoli y de otras zonas de América. Si mestizos y criollos ganan proporcionalmente más espacio que ninguna otra categoría socio-racial, los indios tributarios del altiplano guatemalteco también crecen en número. La producción y el comercio se reactivan notoriamente, y encuentran en el contrabando una alternativa funcional para una región excluida de las grandes corrientes del tráfico español. El impulso renovador se percibe también en la administración colonial y en el cambio cultural: la Ilustración penetra paulatinamente en la educación y los medios urbanos. Pero el aliento transformador no fue parejo y hubo a menudo desfases y discontinuidades. La guerra de la «Oreja de Jenkins» (1739-1748) entre España e Inglaterra retrasó la expansión comercial y la expulsión de los jesuitas afectó seriamente el avance cultural. Los vaivenes políticos no ahorraron prohibiciones y persecuciones de los «Ilustrados»: así, por ejemplo, la Sociedad Económica de Amigos del País, creada en 1794, fue suspendida en 1799, y su restablecimiento en 1810 obedeció al nuevo gobierno liberal instaurado en España.

Observados a finales del siglo XVIII, los cambios en la fisonomía del Reino de Guatemala resultan, de todos modos, notorios, y guardan un agudo contraste con la postración manifesta cien años antes. La ciudad de Guatemala, trasladada después de los terremotos de 1773 a su emplazamiento actual en el Valle de la Ermita, domina comercial y administrativamente de forma indiscutida.

De norte a sur, la diversidad regional y el localismo parecen haber cedido paso a la ciudad capital, encrucijada ahora de los intereses del comercio monopolista y cabecera de un Estado mucho más poderoso que antaño. Los ingleses, aunque presentes en las costas de Belice y la Mosquitia, se han visto seriamente limitados en sus ambiciones territoriales. La presencia española es muy fuerte en el tráfico comercial por la Bahía de Honduras. El auge del añil sustenta y subraya esa prosperidad colonial que llega al cénit en 1790. El crujiente derrumbe de los años que siguen no borra, sin embargo, esa fisonomía peculiar. La crisis exasperará más las diferencias y contradicciones en el complicado tejido regional.

Desde la primera mitad del siglo XVIII, la política de los Borbones se orientó hacia cuatro rumbos complementarios: 1) la reactivación de la minería hondureña, favorecida por el descubrimiento de ricos yacimientos en Yuscarán y Opoteca; 2) la reconstrucción de las rutas del comercio ultramarino, no escatimando para ello en la realización de obras de infraestructura, como puertos y caminos; 3) una nueva política fiscal, la cual no sólo modificó sustancialmente la estructura tributaria, sino que implicó también la reinversión de los excedentes fiscales en las obras de defensa e infraestructura; 4) un intento sistemático y sostenido por desalojar a los ingleses de los asentamientos de la costa atlántica, quebrando así, por lo demás, su predominio comercial y la activa red de contrabando. Todo esto supuso, como es obvio, una nueva preeminencia del Estado y de sus funcionarios, tanto sobre los intereses privados de comerciantes y terratenientes, cuanto sobre la poderosa influencia de la Iglesia. Es más, el centralismo estatal —algo difícil de soportar en sociedades acostumbradas al aislamiento y dominadas por las magras bondades del localismo— se impuso gradualmente en las mentes de la burocracia colonial como la verdadera «razón de ser» del fiel servicio a la monarquía borbónica.

La reactivación de la minería y el establecimiento del cuño en Guatemala (1733) favorecieron el comercio con Perú y Nueva España, disminuyendo a la vez la dependencia de la moneda acuñada recibida desde El Callao.

Pero fue el nuevo auge del añil, hacia mediados del siglo, lo que proporcionó bases más estables para una expansión comercial de cierto aliento. La minería hondureña acabó sometida a un rango menor por las dificultades de siempre: carencia de mano de obra, insuficiente abastecimiento de mercurio y técnicas rudimentarias; en suma, costos de producción prohibitivos más allá de la facilidad de algunas ricas vetas iniciales. Estos casos comprometían cualquier posibilidad de explotación en gran escala y obligaban a una minería mediocre, que no sería impropio llamar de subsistencia. Por otra parte, la proximidad relativa de la costa atlántica y las dificultades del abastecimiento por las rutas legalmente permitidas guiaba con naturalidad al contrabando, hecho éste corroborado incansablemente por las autoridades de Guatemala y que solía contar con la mirada complaciente (y a menudo agradecida) de los funcionarios de Comayagua.

Desde mediados del siglo XVII el añil reemplazó al cacao como principal producto agrícola de exportación. Cultivado en las costas y laderas del Pacífico, desde Guatemala hasta la península de Nicoya, la mayoría de los obrajes se localizaban en la actual República de El Salvador. La demanda por este colorante, que, como decía, Sahagún, «tiñe lo azul oscuro y resplandeciente», provino primero de los telares peruanos. En una segunda fase, a medida que nos adentramos en el siglo XVIII, el textil inglés cobró delantera, en razón de la naciente revolución industrial.

La producción estaba en manos de algunos propietarios, que aportaban alrededor de un tercio de la cosecha total, y de una gran cantidad de «poquiteros»: pequeños y medianos productores que usaban básicamente mano de obra familiar. Sobre todos ellos se abatía una maraña de intereses ávidos y a menudo insaciables. La carga impositiva y el costo de los fletes eran datos de una situación desfavorable. Pero la comercialización quedaba limitada a un cerrado monopolio de mercaderes asentados en Guatemala, quienes, a su vez, proporcionaban adelantos en dinero y productos a los cosecheros. Como resultado, los precios no compensaban en muchos casos los costos, y eso incentivó los fraudes (mezcla de sustancias extrañas para aumentar el volumen), y un enfrentamiento creciente entre comerciantes y cosecheros. A estas penurias se sumó, en varias ocasiones (1769, 1773, 1800 y 1805), la voracidad devastadora de la langosta. El Estado Colonial trató de intervenir en 1782, instalando el «Monte Pío de los Cosecheros del Añil», una sociedad de productores que recibió un préstamo inicial del Estanco de Tabacos para financiar la producción. Pero de hecho, sólo los grandes productores llegaron a beneficiarse del sistema.

El colapso del añil sobrevino con el cambio de siglo y por causas que no eran inéditas. La expansión de la demanda incentivó el desarrollo de otras zonas productoras: Venezuela, la India y las Antillas Holandesas, las cuales tornaron el añil centroamericano poco competitivo en los mercados internacionales.

A pesar de estas limitaciones, el añil fue el producto de exportación más significativo del área hasta la aparición del café, ya bien entrado el siglo XIX. Su auge, entre 1760 y 1790, connotó profundamente la vida centroamericana, afianzando un conjunto de vínculos regionales del cual derivan, en buena parte, tanto las fuerzas de la unión entre los cinco países, cuanto las amarguras y frustraciones del separatismo. El apogeo del añil y el retroceso de la presencia inglesa en la Bahía de Honduras también intensificó el encumbramiento de los comerciantes de la ciudad de Guatemala.

Su preeminencia no se limitó, en modo alguno, al control del comercio de ultramar. La red mercantil se extendía al conjunto de la economía regional: los textiles indígenas del altiplano guatemalteco, el añil salvadoreño, la plata de Honduras y el ganado vacuno y mular del viejo corredor pastoril que se extendía desde el Golfo de Fonseca a la península de Nicoya. Aunque los «provincianos» remarcan insistentemente el carácter parasitario de ese dominio comercial, no puede negarse el que contribuyera a estrechar los vínculos regionales. El monopolio de esos comerciantes, reforzado fuertemente desde 1793 con la creación del consulado de comercio, perjudicaba sobre todo a quienes requerían insumos importados (como azogue o herramientas) o podían deleitarse con un consumo variado y lujoso de muebles, vestuario y ciertos comestibles (vino, aceitunas, etc.). El capital comercial reinaba así sobre productores y consumidores: «Nos visten a precios que nos mantienen más desnudos que vestidos», decía una queja nicaragüense de 1786. El Intendente de San Salvador no duda, en 1793, de hablar de «la tiranía de Guatemala sobre las provincias». Y esas citas podrían reiterarse hasta el cansancio.

El auge del añil tuvo otros efectos de mucha significación. Consolidó las haciendas en toda la franja pacífica desde el sur de Guatemala hasta la península de Nicoya, bajo el incentivo comercial. El añil y la ganadería compitieron, y en muchos casos desplazaron, a los cultivos de subsistencia, reforzando el comercio, pero favoreciendo también la escasez de mano de obra y elevando el precio de los alimentos. El aumento de los peones mestizos fue, en toda esa zona, un proceso continuo, observable ya en la década de 1770, y que culminaría, más de un siglo después, con el desplazamiento definitivo de los pueblos de indios y las formas comunales de propiedad. Los hacendados criollos, enfrentados a las perspectivas del mercado internacional, al crédito usurario y la especulación de los comerciantes de Guatemala y Cádiz, así como a las presiones y expectativas de la burocracia colonial, comenzaron a percibir sus propios intereses, por separado de los de la Corona y los de otros grupos sociales. En el curso de los acontecimientos y las luchas se fueron así constituyendo *plenamente* como clase. El contraste con Guatemala no podía ser más acusado. Allí los burócratas, los grandes comerciantes y la Iglesia reinaban sobre las comunidades indígenas, aprovechando las ventajas administrativas de la capitalidad y usufructuando una ruta del comercio ultramarino (Guatemala-Golfo Dulce o Guatemala-Bahía de Honduras) impuesta por los imperativos del monopolio comercial.

Es necesaria una correcta apreciación de las reformas borbónicas para completar el cuadro de las transformaciones del siglo XVIII. La nueva voluntad del Estado colonial se expresó como una mezcla peculiar de mercantilismo tardío y centralismo gubernativo. Lo inédito con el cambio dinástico no fue tanto una nueva idea del absolutismo, sino más bien una renovada concepción de la administración estatal y su eficacia, al servicio del ideal imperial.

El centralismo implicó la lucha contra muchos intereses privados, sobre todo de las viejas familias, herederas de los premios de la primera época de la conquista y la colonización. La selección y el envío a las colonias de nuevos funcionarios fue una condición indispensable para el éxito, siquiera mediano, de un control estatal más efectivo. La Iglesia, verdadero poder paralelo bajo los Austrias, fue particularmente —aunque sólo parcialmente— afectada por los avances del poder secular. Los cambios de jurisdicción administrativa, indispensables para modernizar una estructura de gobierno colonial vetusta de doscientos años, favorecieron intereses locales —en ciertos casos, incluso ayudarán a crearlos— y afectaron los privilegios regionales más antiguos. El objetivo principal del remozado estado colonial no dejaba de aparecer con prístina claridad en la aparente diversidad de teoría y acción política que los Borbones desplegaron a lo largo de todo el siglo: la defensa del Imperio y el logro de mejores beneficios económicos.

La política económica expresó en forma acabada los principios del mercantilismo practicados durante el siglo XVII por Francia, Inglaterra y Holanda. Constituyó, en ese sentido, una readecuación tardía del mercantilismo mucho más primitivo que imperó bajo los Austrias. El exclusivo colonial siguió siendo el principio rector, aderezado con la promoción de compañías privilegiadas (hasta 1756) y una «liberalización» del comercio intercolonial (sobre todo a partir de 1778). Pero el término «libre comercio» no debe prestarse a engaño: se trató en verdad de un monopolio menos duro y más eficiente que buscaba el mayor beneficio posible para los intereses de la metrópoli, encarnados en la Corona y los grandes comerciantes. Un intento de promoción de las manufacturas reales en España, que buscaba abastecer la demanda del vasto mercado colonial, fracasó con rapidez. La expansión de la industria textil catalana, en la segunda mitad del siglo XVIII, constituyó una respuesta moderna, pero tardía, a las necesidades ya mencionadas del mercado colonial.

Si se la compara con otras regiones, como el Río de la Plata, México o Cuba, el impacto de las Reformas Borbónicas en Centroamérica fue de poca significación: El Reino de Guatemala no dejó, en efecto, de ser una región marginal y periférica, dentro del vasto conjunto colonial. No obstante, desde una perspectiva interna, la apreciación cambia. Lo poco espectacular de las transformaciones, y su magro balance final en cuanto a la promoción del desarrollo económico, contrastan con la acidez de los conflictos entre «provincianos» y guatemaltecos, y, en general, con el enfrentamiento entre los más diversos peldaños de la escala social en una lucha tan aguda y amarga como compleja.

La reorganización fiscal fue una pieza importante en la política de los Borbones. La conmutación de los tributos de 1747 forzó la incorporación de las comunidades indígenas a los circuitos de intercambio mercantil, mientras que su importancia para las arcas estatales decaía: de un 73 por 100 de los ingresos totales en 1694-1698, el tributo indígena cayó a un 37 por 100 en 1771-1775 y a un 18 por 100 en 1805-1809.

Nuevos recursos se obtuvieron de los estancos del aguardiente (1758) y del tabaco (1765), así como del traslado, de México a Guatemala, de los de la pólvora y las barajas. La elevación de la alcabala y del impuesto de Barlovento, a la vez que un mejor control en su recaudación, completaron el cuadro de las reformas fiscales. En 1805-1809 las rentas de los estancos y las alcabalas proporcionaron algo más del 80 por 100 de los recursos fiscales; mientras que un siglo atrás una proporción semejante correspondía al tributo indígena.

Este importante cambio en la estructura de los ingresos fiscales no debe entenderse, sin embargo, como magnanimidad frente a la explotación sufrida por las comunidades indígenas. La conmutación de los tributos y la monetarización forzada colocó a los indios en las garras de los comerciantes y la especulación, mientras que, desde 1776, los fondos de comunidad pasaron a ser administrados por alcaldes mayores y corregidores. La efectividad de los cambios se percibe bien desde la óptica del estado colonial. Los nuevos e importantes recursos se destinaron al financiamiento de obras de defensa e infraestructura; y la remisión de ingresos fiscales desde Centroamérica hacia España nunca figuró como una prioridad en la política de los Borbones, diferencia ésta significativa en relación con la actitud de los Austrias, en el siglo XVII. Esa mayor holgura dio el necesario sustento material a la lucha contra los ingleses en la costa atlántica y la reconstrucción del tráfico comercial.

Los motines de indios siguieron siendo una respuesta clásica a la explotación colonial. Aunque es difícil precisar si con estos cambios hubo una mayor frecuencia en esas reacciones, ciertas evidencias apuntan en ese sentido. Los principales detonantes provenían de los múltiples abusos de los funcionarios reales, pero hubo también motines contra los cambios en los tributos y las formas de recaudación. Una oleada de movimientos de este tipo ocurrió hacia fines del período colonial. La Ordenanza de Intendentes exigía nivelar los gravámenes y así se hizo en 1806, pero las Cortes de Cádiz abolieron el tributo en 1811. Fernando VII lo reimplantó en 1815 y hay que esperar a la revolución liberal de 1820 para que, con el restablecimiento de la Constitución, se vuelva otra vez a la supresión.

Los intentos por desalojar definitivamente a los ingleses de Belice fracasaron sucesivamente, pero Gran Brateña tuvo que reconocer la soberanía española en varias ocasiones: el tratado de París (1763), que puso fin a la Guerra de los Siete Años; la Paz de París, que concluyó la Independencia de Estados Unidos (1783), y la convención de Londres (1786), obteniendo en los tres casos permisos para cortes de madera que, en la práctica, si no en el derecho, consagraban la ya casi centenaria ocupación británica de la zona. La presencia española en la Bahía de Honduras se afirmó desde la construcción del fuerte de Omoa (1756), culminando con el repoblamiento de Trujillo en 1780. Aunque los intentos ingleses por controlar el río San Juan fracasaron en 1780 con la toma y el abandono del Fuerte Inmaculada, los españoles fueron igualmente incapaces de eliminar la influencia británica en la Mosquitía.

En suma, si el éxito en la lucha contra los ingleses no fue completo, tuvo al menos la virtud de no permitir una anexión lisa y llana de la costa atlántica a las posesiones británicas. Desde el punto de vista comercial debemos apuntar otro éxito relativo pero innegable: entre 1760 y 1790 el contrabando disminuyó y la ruta de la bahía de Honduras fue surcada frecuentemente por los navíos españoles.

El «libre comercio» decretado en 1778 trajo, al parecer, pocos beneficios directivos al Reino de Guatemala. No hubo alza notable en el tráfico ni tampoco nuevos incentivos, que gravitaran sobre la producción a un plazo más largo.

La Ordenanza de Intendentes (1785) reorganizó la administración, creando las intendencias de San Salvador, Chiapas, Honduras y Nicaragua (la cual comprendía también a Costa Rica) en lo que fue un aparente intento de descentralización, disminuyendo la importancia de Guatemala y reconociendo intereses locales en ascenso (sobre todo en El Salvador). Pero la creación del Consulado de Comercio de Guatemala, en 1793, constituyó un antídoto de no poca virulencia, ya que reforzó notoriamente el poder de los comerciantes monopolistas de la capital, vinculados a los mercaderes de Cádiz.

La crisis se precipita en la década de 1790 con un carácter eminentemente general, y un impacto que se prolonga por varias décadas. De un lado, la guerra europea suma las derrotas españolas a la absoluta preeminencia naval británica en el Atlántico; aun la misma dinastía se descalabra en 1808 y la independencia española queda en entredicho con la invasión francesa, y, como bien sabemos, esa quiebra del poder metropolitano precede apenas a la ruptura del poder colonial en Hispanoamérica. La contracción comercial quizás se produce con antelación a la guerra con Inglaterra (1798), pero, en todo caso, se agrava con la inseguridad de las rutas. La crisis del añil refleja, además, la declinación en calidad del producto, la competencia de otras zonas productoras y nuevas plagas de langosta (1802-1803). A ello se une con fuerza ineluctable, el colapso estatal. Entre 1780 y 1800 los costos militares superaron con creces los recursos fiscales del reino de Guatemala, y entre 1805 y 1809 la situación empeoró aun más. Para Miles Wortman, fue la «sobreextensión de los recursos fiscales para propósitos burocráticos y defensivos, los cuales, al retraerse por la caída de los ingresos, llevaron al colapso de la autoridad central». El Estado, exhausto, perdió así, poco a poco, toda capacidad de regulación en los agudos conflictos entre «provincianos» y guatemaltecos. La postración comercial obligó a permitir el comercio con las naciones neutrales en 1797 y cerrar los ojos frente al incremento del contrabando. Belice pasó a desempeñar, desde entonces, un papel de primera importancia, consolidado por la prolongación de la guerra y la crisis metropolitana.

La postración económica y la erosión del poder estatal se tornan irreversibles en las dos primeras décadas del siglo XIX. La ausencia aparente de salida se refleja bien en las actitudes de la élite criolla, encarnada en los intereses «provincianos». El temor a la Independencia, por la cual se lucha a muerte desde 1810 en México y Suramérica, conduce a tentar primero la magnífica utopía del constitucionalismo de Cádiz (1812). Pero, como sabemos, ese triunfo de la España ilustrada que implicaba una nueva alianza, bajo principios liberales, entre metrópoli y colonias, fue apenas circunstancial. La reimplantación del absolutismo español, en 1814, no sólo quebró con rapidez ese sueño, sino que significó cárcel y persecución para los propios liberales centroamericanos. La Independencia sobrevino, así impuesta por las fuerzas externas más que por la voluntad de las clases o grupos autóctonos. Los sucesos mexicanos proporcionaron, en 1821, el eslabón hacia lo inevitable. Cuando Agustín de Iturbide puso fin a la insurrección popular de la Independencia, invitó a las autoridades centroamericanas a adherirse a los principios del plan de Iguala: independencia, religión católica, unión de mexicanos y españoles bajo una monarquía constitucional. Políticamente, el 15 de septiembre de 1821, se consumó así una verdadera «revolución desde arriba».

Ciertos desplazamientos de interés que ocurren en los años precedentes no pueden dejar de notarse. La burocracia colonial significaba ya tan poco como la inoperante conexión comercial entre Guatemala y Cádiz. La bandera del libre comercio (con Inglaterra) era agitada ahora con vehemencia por los opulentos comerciantes del Consulado, residentes en la ciudad capital. La razón es sencilla, pues desde 1818 han reconstruido su posición preeminente reemplazando a los mercaderes gaditanos por los ingleses de Belice. La familia Aycinena, conjugando intereses económicos y vínculos familiares entre peninsulares y criollos, constituye el arquetipo de esa metamorfosis que deja, tan intacto como veinte años antes, el dominio del capital mercantil.

Así las cosas, la quiebra de ese odiado monopolio siguió siendo un problema esencial para los «provincianos» en 1821. A ello se sumó, con el derrumbe del desgastado poder colonial, la libre eclosión de otros conflictos no menos antiguos, como la oposición entre ciudades y regiones: Granada y León, Tegucigalpa y Comayagua, Cartago y San José, ciudad de Guatemala y Quezaltenango.

Nadie expresó mejor lo que se esperaba de la Independencia que el sabio hondureño José Cecilio del Valle. El 30 de noviembre de 1821 escribía en su periódico *El Amigo de la Patria:*

«El nuevo mundo no será en lo futuro, como ha sido en lo pasado, tributario infeliz del antiguo. Trabajará el americano para aumentar los capitales productivos de su propiedad: trabajará para presentar al Gobierno, protector de sus derechos, las rentas precisas que exija la conservación del orden. Pero no se arrastrará en las cavernas de la tierra para sacar de sus entrañas los metales que debía enviar al otro continente.»

. . . .

«La América no caminará un siglo atrás de la Europa: marchará a la par primero: la avanzará después; y será al fin la parte más ilustrada por las ciencias como es la más iluminada por el sol... Habrá sabios entre los ladinos: habrá filósofos entre los indios: todos tendrán mayor o menor cantidad de civilización... No hollarán los unos los derechos de los otros: el hombre se respetará a sí mismo en sus semejantes; y la moralidad, que es el respeto mutuo de los derechos de todos, brillará al fin en las tierras donde ha sido más ofuscada.»

Pero estos pensamientos sublimes terminaban con una advertencia que probaría ser amarga verdad en los años por venir:

«Pero antes de llegar a esa cima de poder es necesario trepar rutas escarpadas, andar caminos peligrosos, atravesar abismos profundos. No nos ocultemos los riesgos de la posición en que estamos. Publiquemos la verdad para que su conocimiento nos haga prudentes.»

Capítulo 3

En busca del progreso: La independencia y la formación de los estados nacionales (siglo XIX)

3.1. *El fracaso de la Federación Centroamericana*

La anexión a México fue de corta vida. A las dificultades propias de un centro de poder demasiado lejano se sumaron intereses locales tan variados como difíciles de conciliar. Las aspiraciones de autonomía de Quezaltenango, Tegucigalpa y Costa Rica se cruzaron con los tradicionales celos de los «provincianos» frente a Guatemala, mientras que los salvadoreños no ocultaban un republicanismo franco y abierto. Casi todos esperaban que la anexión ofreciera una solución a los interminables conflictos administrativos, y esperanzas frente a una postración económica demasiado prolongada. Pero en el curso de 1822 fue cada vez más evidente que ésas eran simples ilusiones.

Iturbide envió una fuerza militar de 600 hombres al mando de Vicente Filísola, un brigadier napolitano con no poca habilidad política, que se instaló en la ciudad de Guatemala con la misión de asegurar el orden y la tranquilidad. Pero, muy pronto, los mexicanos fueron vistos como vulgares invasores. Los republicanos salvadoreños nunca aceptaron el acuerdo de la anexión (enero de 1822) y desde diciembre de 1821 trataron de lograr el apoyo de las otras provincias. Aunque no tuvieron eco inmediato, por la vía de los hechos hicieron gala de una manifiesta voluntad independentista que llegó incluso, en diciembre de 1822, a proclamar el deseo de El Salvador de unirse a los Estados

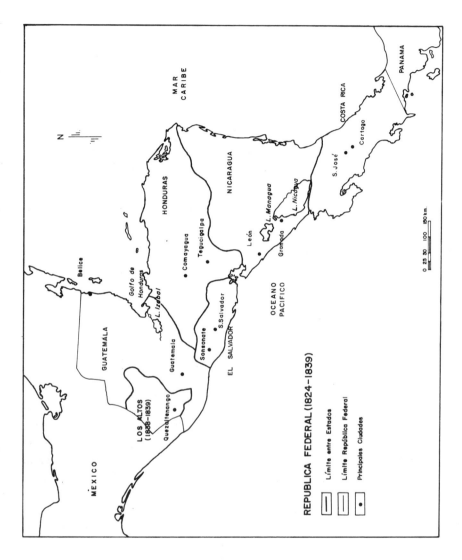

Mapas 9 y 10.—Los mapas 9 y 10 ilustran la configuración territorial definitiva de los cinco estados centroamericanos. El proceso fue lento y conflictivo. En el mapa 9 puede apreciarse la República Federal, con el Estado de Los Altos, escindido de Guatemala en 1838-39. Costa Rica tiene anexada ya la antigua Alcaldía de Nicoya (1824-25). En el mapa 10 se resumen los conflictos de límites y se presenta la división política actual. Su lectura ilustra dos cosas: lo lento y difíciles que fueron los arreglos de límites, y las considerables disputas en torno a la Mosquitía nicaragüense y la costa atlántica de Costa Rica.

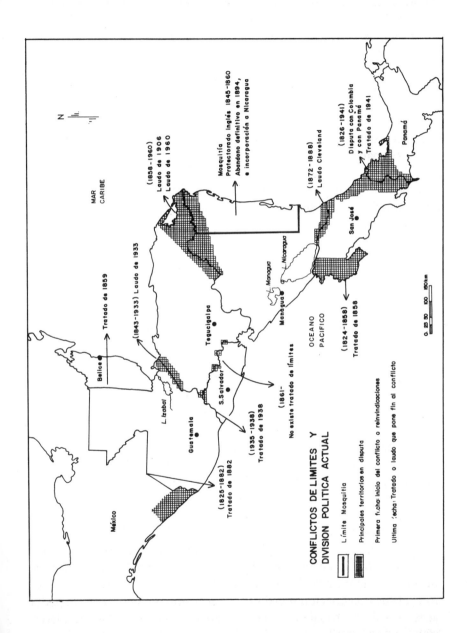

CONFLICTOS DE LIMITES Y
DIVISION POLITICA ACTUAL

▯ Límite Mosquitia

▦ Principales territorios en disputa

Primera fecha: Inicio del conflicto o reinvindicaciones

Última fecha: Tratado o laudo que pone fin al conflicto

Unidos. Las tropas mexicanas derrotaron a los republicanos salvadoreños en febrero de 1823, pero el triunfo probó ser efímero. En esos mismos días, Iturbide (emperador desde hacía seis meses) caía derrotado por una rebelión de los generales mexicanos y la guerra civil se extendía por el país. La posición de Filísola no podía ser más endeble. La prometida ayuda financiera mexicana nunca había llegado y los gastos del ejército corrían por cuenta del gobierno de Guatemala. El 29 de marzo Filísola optó por convocar a un Congreso (de hecho había sido previsto en la declaración de Independencia del 15 de septiembre de 1821) para que decidiera sobre el asunto de la anexión.

El 1 de julio de 1823 el Congreso reunido en la ciudad de Guatemala proclamó la Independencia absoluta de Centroamérica y se declaró en Asamblea General Constituyente. Un mes más tarde Filísola se retiró con sus tropas. En el camino de vuelta logró sellar la adhesión de Chiapas a México y su desvinculación definitiva del Antiguo Reyno de Guatemala. Entretanto, los delegados de Costa Rica, Nicaragua y Honduras, incorporados con retraso al Congreso, ratificaban el documento del 1 de julio de 1823.

El episodio de la anexión a México quedaba así clausurado, y los centroamericanos creían ser dueños de su propio destino. Al menos así lo traslucían con fervor los diputados de aquel congreso de 1823, cuando proclamaron a las «Provincias Unidas del Centro de América» como una nación soberana, libre e independiente «de la antigua España, de México, y de cualquiera otra potencia, así del antiguo como del nuevo mundo». El mismo empeño se reflejó en toda la labor de dicha Asamblea, la cual culminó el 22 de noviembre de 1824 con la promulgación de la Constitución. Bajo el lema «Dios, Unión y Libertad», los diputados habían optado por una organización de tipo federal. La nueva república se llamaba oficialmente «Federación de Centroamérica» y comprendía cinco estados: Guatemala, El Salvador, Honduras, Nicaragua y Costa Rica.

La Constitución combinaba influencias de las constituciones de Estados Unidos y de Cádiz (1812), con una generosa dosis de pensamiento ilustrado dieciochesco. Sus autores o inspiradores (entre estos últimos se encontraba el sabio hondureño José Cecilio del Valle), hicieron gala de imaginación social y cierto realismo político. ¿Pero se podía acaso vestir con ropaje tan nuevo el arcaico cuerpo de las sociedades centroamericanas?

Por una parte, había bases materiales que conspiraban contra cualquier federalismo efectivo: el aislamiento de los estados, la desarticulación regional y el desequilibrio en la distribución de la población afectaban la representación proporcional. Hacia 1824, Centroamérica apenas sobrepasaba el millón de habitantes, de los cuales, casi un 50 por 100 se concentraban en Guatemala. El primer Congreso Federal, instalado en abril de 1825, tuvo así 18 diputados por Guatemala, 9 por El Salvador, 6 por Honduras, otros tantos por Nicaragua, y apenas 2 por Costa Rica. Por otro lado, existía una debilidad económica estructural, sin productos de exportación rentables, y ninguna alternativa nueva a la vista. Y el enfrentamiento entre guatemaltecos y provincianos, con mil celos y resentimientos acumulados a lo largo de los años, estaba lejos de haber sido superado. Finalmente, con la retirada española la presencia británica se tornó mucho más manifiesta. Se trataba de intereses comerciales y también estratégicos (la cuestión del canal interoceánico), que acabaron enredando y aun enfrentando sutilmente a los centroamericanos.

La fisonomía de la sociedad colonial había experimentado muy pocas mudanzas. Una mayor participación de los mestizos, el fin de la esclavitud (una forma de trabajo que no tenía de todos modos importancia en la producción), y el libre comercio, fueron quizás las novedades de mayor repercusión. Pero todo esto afectó poco, inicialmente, a los indios de las comunidades y a los mestizos pobres de las rancherías, en las cercanías de las haciendas y ciudades. Aún para los señores de la tierra y el ganado, en el agreste interior del istmo, las cosas no eran muy distintas.

En el fondo, se presentó una antinomia insoluble entre el celo autonomista de los Estados y la posibilidad misma del poder federal. Dos situaciones que se presentaron en los años 1823-1824, una época de gestación y esperanza como ninguna otra, ilustran suficientemente el peso abrumador de esas contradicciones.

El desbalance existente entre los cinco Estados exigía ciertos ajustes territoriales. Pero ello fue fácil sólo en el caso de la Alcaldía Mayor de Sonsonate, incorporada a El Salvador en noviembre de 1823, y de la Alcaldía Mayor de Nicoya, anexada a Costa Rica en julio de 1824. La cuestión del Estado de Los Altos, en cambio, fue mucho más espinosa. Las comarcas del altiplano guatemalteco (Quezaltenango, Suchitepéquez, Sololá y Totonicapán), poseían 129 pueblos y más de doscientos mil habitantes. Algo más que suficiente en cuanto a recursos como para constituir el sexto Estado de la Federación. De hecho, promesas y discusiones en ese sentido databan de 1823, sin que faltaran tampoco intereses activos de oposición entre Guatemala y Quezaltenango. No es menos evidente que la creación de dicho Estado hubiera modificado sensiblemente la correlación de fuerzas sociopolíticas en el contexto federal. Fue esa misma incertidumbre, sin embargo, la que empujó tanto a liberales como a conservadores a retrasar su constitución. Cuando se hizo finalmente, en 1838, la Federación estaba herida de muerte, y el efecto de contrapeso quedó reducido, dadas las circunstancias, a una piedra más arrojada en pro del separatismo.

La creación de nuevos obispados fue otro punto álgido pues implicaba un reconocimiento de autonomía que iba más allá del campo religioso (aparte de cuestiones económicas se trataba del ejercicio del Patronato Real). Enfrentados a la oposición de Guatemala, los salvadoreños optaron por presentar hechos consumados, y así fue como crearon su propio obispado en 1822, ratificando la decisión dos años más tarde. El padre Matías Delgado, un connotado republicano y no menos decidido partidario del unionismo centroamericano, fue elevado a la Silla Episcopal. Aunque el Vaticano se opuso a semejante pretensión y el asunto sólo tuvo arreglo en 1842, refleja bien cómo las aspiraciones de autonomía de los estados conducían con mucha rapidez al ejercicio de poderes soberanos. En Costa Rica la pretensión de un obispado, firmemente adversada por las autoridades de León, no condujo a hechos de ese calibre; hubo, sin embargo, signos no menos inquietantes. En 1823 el gobierno de Costa Rica negociaba un tratado con las ciudades de Granada y León, el cual incluía cuestiones comerciales y territoriales. Otra acción que no ocultaba un ejercicio pleno de la soberanía nacional.

La vida de la República Federal fue breve y agitada. El primer Congreso abrió sesiones en 1825 y eligió presidente al liberal salvadoreño Manuel José Arce. Enfrentado muy pronto al Congreso, éste hizo una alianza con los grupos conservadores de Guatemala y les entregó el gobierno de su Estado. Los resentimientos y conflictos que habían aflorado en forma relativamente pacífica durante los años 1821-1825, surgieron ahora en carne viva. Los conservadores guatemaltecos establecieron una estrecha alianza con la Iglesia y se alarmaron ante el radicalismo reformista de los liberales. Éstos, a su vez, sólo veían en todo ello un nuevo intento de los «serviles» para restablecer la supremacía de Guatemala, pisoteando la Constitución. La guerra acabó en 1829, con el triunfo del bando liberal, liderado por el hondureño Francisco Morazán. El panorama no podía ser más sombrío. Calamidades y destrucción se sumaban a una economía de por sí debilitada.

Arce había negociado un empréstito federal con la Casa Barclay, Herring & Richardson, de Londres, en 1825. Del monto suscrito (5 millones de pesos), sólo algo más de 300.000 ingresaron en las arcas del gobierno, y pronto fueron utilizados en los gastos de la guerra. La cuantiosa deuda fue otra dura herencia del conflicto; dio amplios pretextos al cónsul inglés Chatfield para amenazantes reclamos del pago de los intereses, combinados con manifiestas ambiciones territoriales sobre la costa atlántica de Centroamérica.

La reacción conservadora, encarnada sobre todo por la Iglesia guatemalteca y los grandes comerciantes de la capital, prometía una resistencia sólida contra cualquier intento de cambio radical. Por fin, durante esos años de guerra, los estados habían asumido funciones muy independientes en los asuntos hacendarios y legales.

Los liberales, triunfantes de todos modos en el campo militar, volvieron a reunir el Congreso en 1829 y decidieron actuar con energía. Expulsaron al arzobispo de Guatemala, expropiaron los bienes de las órdenes religiosas y persiguieron a los conservadores más prominentes. Morazán fue electo presidente en 1830 y se propuso restablecer la autoridad efectiva del Gobierno Federal. Pero, ¿cómo lograrlo sin rentas suficientes y con una constitución ambigua? En los hechos, el poder del Gobierno Federal sólo podía incrementarse a expensas de las jurisdicciones de los Estados. En 1835 se plantearon varias reformas a la Constitución que no llegaron a aplicarse, y en 1838, cuando el Congreso resolvió pasar al Gobierno Federal el control de las rentas de aduana (único medio de garantizar las finanzas liberales), ocurrió la disgregación. Nicaragua, y después Costa Rica y Honduras, decidieron separarse de la Unión.

Mariano Gálvez, Jefe del Estado de Guatemala entre 1831 y 1838, trató de implantar un amplio programa de reformas liberales, centrado en la libertad de comercio, la promoción de las exportaciones y cierta protección de la industria textil, libertad de cultos, educación universal, reforma judicial y un programa de colonización. Pero el esfuerzo sólo dio como resultado inmediato conflictos con las comunidades indígenas y frecuentes choques con la Iglesia. A ello se sumaron crecientes disensiones en las filas liberales y el *impasse* de Morazán, como presidente, en lograr un verdadero incremento de poder en el Gobierno Federal.

Las exportaciones de añil y grana se recuperaron en los primeros años de la década de 1830, y la protección a los textiles prometía restaurar el antiguo brillo de los telares domésticos, seriamente comprometidos por la competencia de las importaciones británicas. Pero no fue más allá de una corta ilusión. La escasez de numerario y los elevados intereses se unían a la cuantiosa deuda, y la colonización comenzó en 1834 con tres vastas concesiones en el Petén, Verapaz, Chiquimula y Totonicapán. Pero no hubo otro resultado inmediato que la fuerte reacción de las comunidades indígenas en Chiquimula, alzadas en armas a fines de 1835, y un creciente sentimiento antiextranjero en todo el país.

La libertad de cultos contó con la fuerte oposición de la Iglesia. Por otra parte, el gobierno nunca pudo hacerse cargo del Registro Civil, y las escuelas y hospitales que tomó a su cargo funcionaron con grandes dificultades. En el campo judicial la mayor innovación fue la aplicación de los códigos redactados por Edward Livingston para Luisiana en 1826. Pero el establecimiento del juicio por jurados (El Salvador en 1832, Nicaragua y Guatemala en 1835) era algo simplemente utópico en sociedades con la mayoría de la población iletrada y sometidas al dominio ideológico de la Iglesia. Los códigos fueron vistos como un producto más del anticlericalismo y de la influencia extranjera.

Nada provocó quizás tantas reacciones como las cargas impositivas. El tributo indígena había sido abolido en 1811, luego restablecido, y suprimido de nuevo con la Independencia. Gálvez lo reimplantó en 1831. Sobre los campesinos y artesanos mestizos pesaba la «contribución directa» y el diezmo había sido sustituido en 1832 por una contribución territorial de 4 reales por cada caballería de tierra. Un decreto de 1836, que unificaba todos estos impuestos, parece haber sido una de las causas inmediatas de la insurrección indígena general, liderada por Rafael Carrera, que estalló en 1837. Pero no puede perderse de vista que los signos de malestar popular se habían expresado ya en otras oportunidades. En 1832-33 El Salvador fue sacudido por insurrecciones indígenas en San Vicente y Tejutla, y el descontento era palpable también en Honduras y Nicaragua. Debe notarse que, por lo común, las medidas liberales no garantizaban ninguna mejoría inmediata, y se sumaban a un pasado muy reciente de destrucción, contribuciones forzosas y desorden general.

Aunque Morazán había trasladado la capital federal a San Salvador en 1834 —en ese mismo año fue reelecto por el Congreso como Presidente—, la suerte de la Federación corrió paralela a los sucesos de Guatemala. Una terrible epidemia de cólera morbus apareció a principios de 1837, afectando sobre todo a las zonas más densamente pobladas en los altiplanos de Guatemala. El gobierno estableció cordones sanitarios y tomó diversas medidas de prevención. Pero los curas de los pueblos declararon que se trataba de un castigo divino, y difundieron el rumor de que los funcionarios del gobierno estaban envenenando las aguas. Pánico y violencia fueron las respuestas de las masas indígenas y mestizas del altiplano. Por dos razones, la insurrección no se redujo a una cadena de simples furores campesinos. Rafael Carrera, un antiguo porquerizo mestizo, demostró, en las montañas de Mita, notables capacidades en la conducción de una guerrilla que peleaba sin cuartel y con una inusitada ferocidad. Y, en segundo lugar, la Iglesia y los conservadores lograron controlar y orientar políticamente el movimiento insurreccional.

Gálvez dejó el gobierno a fines de 1837. Lo que sigue, hasta la derrota de Morazán por Carrera en marzo de 1840, es uno de los episodios más confusos y complicados de la historia centroamericana. En 1838 la República Federal agonizaba, frente al separatismo de los estados, las amenazas inglesas y la reacción conservadora en Honduras, Nicaragua y Guatemala. En febrero de 1839, al concluir el período constitucional de Morazán, el Congreso se ha disuelto, y no hay, en consecuencia, ningún órgano legal para nombrar su sucesor. Durante el resto de ese año 1839, las fuerzas se alinearon para el enfrentamiento definitivo. Éste ocurrió en marzo de 1840. En los hechos, desde febrero de 1839, la Federación pertenecía ya al pasado. En 1842, Morazán intentó retornar a Centroamérica para continuar la lucha en pro de la unificación. Pero su aventura culminó trágicamente. El 15 de septiembre de 1842 caía frente a un pelotón de fusilamiento en San José de Costa Rica.

El fracaso de la Federación Centroamericana y del primer intento liberal, tuvo consecuencias de larga duración en la vida del istmo. El ambicioso programa de Gálvez en Guatemala pretendía poner fin a tres rasgos básicos de la sociedad colonial: a) la influencia política, económica e ideológica de la Iglesia; b) la vieja separación entre la «República de los Indios» y la «República de los Españoles»; c) el aislamiento y la debilidad de la integración al mercado mundial. El triunfo de Carrera y la restauración conservadora de mediados del siglo hipotecaron, en cierto modo, el futuro de Centroamérica. La oleada liberal de los años 1870 tuvo éxito al ajustar cuentas con la Iglesia y lograr una integración exitosa al mercado mundial; haciendo gala de un ingenioso pragmatismo los nuevos liberales dejaron, en cambio, de lado la cuestión indígena.

Fuera de Guatemala, los programas liberales fueron más moderados, aunque no dejaron de provocar serios antagonismos. Pero los enfrentamientos obedecían también a intereses puramente locales. En Honduras el conflicto entre Tegucigalpa y Comayagua amenazó con dividir el país en dos Estados, pero en 1823 se llegó a la transición de alternar anualmente la capital. Aunque en los años siguientes las cosas no fueron tan simples, y mucho menos pacíficas, en la década de 1830 se alcanzó un *modus vivendi* que perdurará hasta fines del siglo XIX: la capital quedó establecida en Comayagua pero las autoridades del poder ejecutivo residían a menudo en Tegucigalpa, una ciudad que ganaba cada vez más en habitantes y movimiento económico. En Nicaragua los antagonismos eran mucho más severos. El liberalismo parecía haberse encarnado en León mientras que los grupos conservadores enseñoreaban en Granada. Se luchó sin cuartel y el país quedó sumido largos años en la anarquía. Enviado por Morazán, el hondureño Dionisio de Herrera logró una pacificación temporal entre 1830 y 1833, gracias a que pudo consolidar el poder liberal. Éste alcanzó su mejor expresión en la Constitución de 1838. Paradójicamente, el mismo congreso que la sancionó, en Chinandega, votó la secesión de Nicaragua de la Federación Centroamericana, y contribuyó así notoriamente a la derrota liberal en Guatemala y El Salvador.

La evolución de Costa Rica, en el sur del istmo, mostraba caracteres absolutamente peculiares. Con una población escasa (unos 50.000 habitantes hacia 1800) y aislada del resto de Centroamérica, el legado colonial se reducía a una sociedad de labriegos propietarios, celosos de su independencia y dedicados a la producción de bienes de subsistencia. Un corto auge de la exportación de tabaco, a fines del período colonial, modificó apenas el orden existente, pero proporcionó una valiosa experiencia empresarial a agricultores y comerciantes, la cual será aprovechada en la década de 1830, cuando comienzan las exportaciones de café hacia Inglaterra. Este hecho es de particular significación, pues constituye el primer paso firme hacia una nueva época en la historia de Centroamérica. Favorecida por el aislamiento geográfico, Costa Rica no participó en ninguno de los conflictos civiles de la Federación. Braulio Carrillo, Jefe de Estado entre 1835 y 1842, echó las bases institucionales del nuevo Estado. Su obra fue continuada gradualmente en las décadas siguientes. El distingo entre conservadores y liberales fue, en el caso de Costa Rica, mucho menos marcado que en los demás países centroamericanos. Ello se debe, sin duda, a que el éxito temprano del café, sin otros productos competitivos, unificó desde el principio las bases socioeconómicas de la sociedad costarricense.

Una palabra final sobre los conflictos que acabaron con la Federación. El enfrentamiento entre liberales y conservadores se delimita con mucha claridad en el plano ideológico. Para los primeros se trata de la utopía del progreso; extender a estas tierras regadas por el atraso y el oscurantismo la llama encendida por la Revolución Francesa y la Independencia de los Estados Unidos. En breve, atar el futuro al carro de «Prometeo desencadenado». Los segundos añoraban el orden colonial, tenían infinito respeto por la Iglesia y temían el cambio social no controlado. Se trata, en dos palabras, de la utopía del despotismo ilustrado. Como siempre ocurre, la claridad de las ideas contrastaba con las ambiciones personales, el oportunismo político, circunstancias inesperadas, y la compleja base de los intereses en juego.

La oposición entre guatemaltecos y provincianos estuvo siempre presente en una historia que tuvo por teatro principal a Guatemala, Honduras y El Salvador. Y a ella se sumaron conflictos locales entre ciudades y regiones. Las fidelidades y los límites entre un partido y otro, fueron, por todo esto, fluidos y a menudo desconcertantes. Puede argumentarse que reinó el oportunismo más que en otras épocas, o que algunos líderes carecieron de la prudencia y la imaginación necesarias. Y sin duda hay mucho de todo ello en aquellos años agitados. Pero quizás todo ese aparente caos, ese destino trágico y sin esperanza, fue secretamente gobernado por la enorme distancia entre el proyecto político liberal y la realidad social.

La influencia extranjera en el fracaso de la Federación es todavía tema de debate. Debe notarse, en primer lugar, que aun factores como la colonización agrícola y la inmigración, de los que podía esperarse una pronta influencia positiva, constituyeron un rotundo fracaso. El empréstito de 1825 fue una verdadera desgracia, y la cuestión del canal interoceánico sólo despertó apetitos imperialistas. El cónsul británico, Frederick Chatfield, tuvo en todo caso, un papel diplomático particularmente activo. Y la historiografía liberal le ha atribuido tradicionalmente una buena parte de responsabilidad en la «balcanización» del istmo. Pero Mario Rodríguez ha demostrado convincentemente que sólo después de la crisis de 1838 Chatfield se convirtió en un «enemigo formidable» de la unión centroamericana. En todo caso, no puede perderse de vista el hecho de que las ambiciones territoriales inglesas sobre la costa atlántica de Centroamérica fueron permanentes, antes y después de los sucesos en cuestión. El retorno en 1816 a la vieja práctica de «coronar» un «rey» de la Mosquitia es coherente con la declaración del Protectorado sobre esa zona en 1843.

Después de 1839, la idea de una Centroamérica unida se convierte en una poderosa utopía. Ideal e inspiración para unos, pretexto de intervención en los asuntos de los vecinos para otros, su presencia se torna constante en la historia del istmo.

3.2. *Restauración conservadora y amenazas extranjeras*

El separatismo quedó consagrado en la década de 1840. La Iglesia recuperó su poder en Guatemala y Carrera ejerció una fuerte dictadura hasta su muerte en 1865, apoyado por los grandes comerciantes, el clero y las masas indígenas. Pero la construcción del poder conservador fue más lenta de lo que corrientemente se supone. En los primeros años, Carrera mantuvo únicamente el poder militar, pero tuvo el buen cuidado de instalar en los gobiernos de Honduras y El Salvador a dos Caudillos fieles, Francisco Ferrera y Francisco Malespín. Ello no sólo sirvió para cuidarle las espaldas ante cualquier posible reacción morazanista; le dio el tiempo necesario para afianzar su control total en Guatemala. En 1844 la Asamblea lo nombró «Benemérito Caudillo y General en Jefe», entregándole la presidencia el 11 de diciembre. Hasta su muerte en 1865, y salvo un breve lapso entre 1848 y 1849, ejerció un poder tan discutido como omnímodo.

La grana o cochinilla, producida en los alrededores de la ciudad de Guatemala, y demandada como colorante en la Europa industrial dio bases, en la década de 1850, para una moderada prosperidad que tenía la virtud de no exigir cambios radicales en el sistema de transporte (mulas o cargadores indios), ni en el sistema financiero (monopolio de la Iglesia y los grandes comerciantes). Los requerimientos reducidos de mano de obra también aseguraban la tranquilidad de las comunidades indígenas. Por otra parte, Carrera llegó a un generoso arreglo con los intereses británicos en 1859, reconociendo la ocupación de Belice a cambio de las promesas de construcción de un camino entre Ciudad de Guatemala y la costa caribe.

La continuidad de las estructuras coloniales era visible también en El Salvador. Se reactivaron las exportaciones de añil, y ese producto ocupará el primer lugar en los intercambios comerciales hasta la década de 1880. Sin embargo, desde 1846 comienza también a cultivarse el café. La estructura de la producción añilera era relativamente parecida a la de la grana. Pequeños y medianos productores mestizos (poquiteros) recibían adelantos de comerciantes urbanos, los cuales se ocupaban de la venta del producto al exterior. Las plantaciones más grandes utilizaban mano de obra proveniente de las comunidades indígenas y ladinas. Aún después de la disolución la República Federal parecen haber existido vínculos importantes entre los mercaderes salvadoreños de añil y los grandes comerciantes de Ciudad de Guatemala. Aunque la demanda de colorantes estaba en franco ascenso a mediados del siglo XIX, pronto aparecieron signos de un futuro negativo: la competencia de otros países productores y sobre todo la aparición de los colorantes sintéticos.

Honduras manifestaba la misma desintegración regional y dispersión de los núcleos de población, notorias ya en el período colonial, con una minería escasamente reactivada. En la costa norte, los ingleses controlaban los cortes de madera, empleando muchas veces mano de obra traída de Belice. El ganado de Olancho se vendía en Guatemala o en las ferias San Miguel, en El Salvador. En ambos casos se trataba de una ruta larga y penosa. Tegucigalpa era un centro minero en decadencia, de difícil acceso. Choluteca y Nacaome, en el golfo de Fonseca, eran paso obligado en la vieja ruta terrestre del Pacífico.

Nicaragua seguía cumpliendo las mismas funciones que desempeñaba en la economía colonial, esto es, abastecía de ganado en pie al mercado centroamericano. Cierto auge en la minería (Departamento de Chontales) y un desarrollo incipiente del café en la región próxima a Managua, no desmentían el tono arcaico y primitivo de casi todas las actividades económicas. El añil y el cacao seguían teniendo alguna importancia, sobre todo en Rivas y Granada. La escasez de mano de obra y las destrucciones ocasionadas por las continuas guerras civiles conspiraban decididamente contra el desarrollo de la agricultura de plantación, reforzando la tradicional opción por la ganadería. El crédito, en manos de los comerciantes de Granada, no escapaba al carácter usurario, típico del capital mercantil más primitivo. No es extraño, en estas circunstancias, que el regionalismo predominara por doquier.

La rápida expansión del café en Costa Rica en la década de 1830, y el éxito de las exportaciones a Inglaterra por la ruta del Pacífico (bordeando el Cabo de Hornos), anunciaban nuevas perspectivas. Hubo mejoras en los transportes y una paulatina modernización del Estado, en tanto que se producía un fuerte proceso de colonización agrícola alimentado por las familias campesinas del Valle Central. Y un puñado de comerciantes y empresarios europeos (ingleses, franceses y alemanes) recién inmigrados adquirieron pronta notoriedad en el negocio del café. De hecho, en ese espejo comenzaron a mirarse los centroamericanos a mediados del siglo XIX.

Las amenazas de intervención extranjera recrudecieron en las décadas de 1840 y 1850. La ingerencia inglesa utilizaba el reclamo de la deuda federal de 1825, asumida proporcionalmente por los estados, una vez acabada la República Federal de 1839, como pretexto para una intervención que en realidad perseguía otros fines: consolidar el asentamiento en Belice y el control de la Mosquitía nicaragüense (declarado protectorado en 1843), con miras en un futuro canal interoceánico. Pero la agresiva diplomacia victoriana, encarnada en los desplantes del cónsul Frederick Chatfield, y sobre todo en la acción de las cañoneras, chocó pronto con los intereses expansionistas de Estados Unidos. Por el tratado de Clayton-Bulwer (1850), el gobierno de Su Majestad tuvo que renunciar al control unilateral de una vía interoceánica, y ambos gobiernos se comprometieron a no colonizar zona alguna de Centroamérica. Pero en lo inmediato esta última cláusula resultó un tanto teórica. Los ingleses ocuparon (temporalmente) las Islas de la Bahía (Golfo de Honduras) en 1852, y no abandonaron la Mosquitía hasta 1894.

La *fiebre del oro* californiana iniciada en 1848 alteró significativamente el ya turbulento istmo centroamericano. Hasta la inauguración del ferrocarril transoceánico en Estados Unidos (1869), el viaje hacia California y la costa oeste era más rápido y fácil mediante un periplo marino que implicaba atravesar el istmo por Nicaragua (Río San Juan, lago Nicaragua, y luego por tierra desde Granada a la costa del Pacífico), o por Panamá (desde enero de 1855, cuando se inauguró el ferrocarril transoceánico). Por Nicaragua cruzaron unos 68.000 viajeros hacia California, mientras que 57.000 hicieron el viaje de vuelta, entre 1848 y 1868. Este tráfico movilizó una línea de vapores controlada por Cornelius Vanderbilt, y reactivó la economía nicaragüense. También reforzó la importancia estratégica de la región y contribuyó a desatar nuevos y voraces apetitos.

Los conservadores dominaban la vida política centroamericana, bajo la égida notoria de Rafael Carrera. Varios intentos liberales de restaurar la Unión, articulados casi siempre en torno a los hostigamientos británicos, constituyeron irremediables fracasos. Doroteo Vasconcelos, un antiguo lugarteniente de Morazán que había conquistado el poder de El Salvador, logró en enero de 1851 la promesa de unión de Honduras y Nicaragua. Pero en febrero del mismo año fue derrotado por Carrera en la batalla de San José de Arada. Otro episodio parecido ocurrió en 1853, cuando Trinidad Cabañas, otro antiguo morazanista, tomó el poder en Honduras y manifestó planes unionistas. Carrera volvió a vencer restableciendo la «paz conservadora». En 1854 el Papa le confirió la orden de San Gregorio y fue coronado como Presidente Vitalicio de Guatemala. Nuevas y más graves turbulencias amenazaban empero al istmo.

En 1855 los liberales nicaragüenses acudieron a un aventurero de Tennessee, William Walker, quien bajo la promesa de jugosas concesiones de tierras armó una expedición mercenaria. Walker se impuso fácilmente y pronto hubo un gobierno fantasma en Nicaragua, controlado de hecho por las fuerzas mercenarias. El Departamento de Estado lo reconoció en mayo de 1856, para gran alarma de los demás estados centroamericanos y del propio gobierno inglés. En los hechos, Walker estaba preparando una verdadera anexión a los Estados Unidos, reforzada por la ingerencia creciente de capitales, armas y hombres del sur esclavista, en la fuerza mercenaria. Los gobiernos centroamericanos se aliaron contra Walker, y un ejército comandado por el presidente de Costa Rica, Juan Rafael Mora, y equipado por los británicos, logró derrotarlo luego de más de un año de lucha, en mayo de 1857. Esa guerra, llamada con justicia «Campaña Nacional», aseguró la independencia de Centroamérica. También significó el apogeo del poder conservador en el istmo.

Mora, en Costa Rica, era un fiel aliado de Carrera. Santos Guardiola (apodado «el carnicero») había sido instalado por él en la presidencia de Honduras en 1856. Después del episodio con Walker, los conservadores nicaragüenses permanecieron en el poder por más de treinta años, hasta 1893. Sólo Gerardo Barrios, en El Salvador, intentó desafiar abiertamente la autoridad del caudillo. Algunas reformas en el campo educativo (creación de Escuelas Normales) y económico (promoción del cultivo del café) o el solemne traslado de los restos de Morazán a San Salvador, señalaron el comienzo de los desacuerdos. La crisis sobrevino en 1861-62, cuando Barrios intentó intervenir en Honduras y comenzó a afectar los intereses del clero. Pero Carrera lo derrotó al siguiente año, reinstalando a Francisco Dueñas en la presidencia.

Los treinta y tantos años de égida conservadora en Nicaragua ofrecen un raro ejemplo de «estabilidad progresiva». Modernización lenta y participación política limitada fueron sellos distintivos del régimen, con un poder ejecutivo fuerte pero mesurado que circulaba, evitando las reelecciones, entre los miembros de las más distinguidas familias granadinas. Frutos Chamorro, uno de los patricios fundadores, expresó sus principios con toda claridad mientras bregaba por la Constitución de 1858, que reemplazaría a la carta liberal de 1838: se trataba de limitar al máximo el preciado tesoro de las garantías individuales, algo que no podía vilipendiarse otorgándolo a todos por igual. El «mérito, la virtud y la propiedad» debían recibirlo, en cambio, «sin miramientos».

En la década de 1860 se prepararon cambios de significación. El ferrocarril de Panamá abrió mejores perspectivas para el comercio de exportación, y los puertos del Pacífico habían reemplazado en importancia comercial a los del Atlántico. Este último hecho es de particular significación, pues abre posibilidades efectivas para las exportaciones de café. El exitoso ejemplo de Costa Rica será pronto imitado con notoria aplicación. Las condiciones maduraban progresivamente, tornando posibles varios de los proyectos liberales ensayados infructuosamente durante la época de la Federación.

3.3. *Las reformas liberales: un nuevo orden social*

La oleada liberal que sacudió a Centroamérica en la década de 1870 compartía el credo de los padres de la Independencia, y se autodefinía como la llama viva de Morazán y Barrundia. No sólo habían cambiado el ambiente internacional y las condiciones económicas. La nueva generación de liberales era además pragmática y positivista. El cambio institucional profundo buscaba liberar los recursos necesarios para el desarrollo de una economía de exportación cuyos beneficios iban a ser monopolizados por un puñado de terratenientes y comerciantes. Así se explica el reordenamiento de la propiedad territorial y la legislación relativa a la mano de obra. El nuevo orden institucional significó también una modificación sustancial en las relaciones de clase: eliminación de la Iglesia como factor de poder y sometimiento de las oligarquías locales al Estado Nacional. El éxito o fracaso de la política estatal en la promoción del sector exportador condicionó la formación y desarrollo de una clase dominante con intereses económicos y políticos más homogéneos y menos fragmentados que en el pasado.

El éxito liberal fue particularmente conspicuo en Guatemala y poco después en El Salvador. La revolución triunfó en 1871, y fue pronto dominada por la figura de Justo Rufino Barrios, un caudillo joven y acaudalado, plantador de café en sus haciendas próximas a la frontera mejicana. La reforma agraria fue rápida y radical: expropiación de los bienes eclesiásticos (1873), abolición del censo enfitéutico (1877, dicho censo daba derechos perpetuos de arrendamiento) y venta y distribución de baldíos (entre 1871 y 1883 fueron vendidas 387.755 hectáreas). Con ello se constituyó un mercado de tierras, basado en la propiedad privada, en la región más apta para el cultivo del café, esto es, las laderas del Pacífico y las tierras del centro hasta una altura de 1.400 metros. Conviene notar que la privatización fundiaria afectó poco a las comunidades indígenas del altiplano, demasiado frío y elevado como para interesar a los caficultores, a excepción de algunas zonas de los departamentos de Huhuetenango, Quiché, Verapaz y Chiquimula. La mano de obra fue también objeto de una legislación especial. El Reglamento de Jornaleros de 1877 resucitó el mandamiento colonial, obligando a las comunidades a proporcionar trabajadores temporales, y reguló las *habilitaciones* (adelantos de dinero que obligaban compulsivamente a los trabajadores indígenas con un hacendado). Todo ello se complementó con leyes que reprimían la vagancia y un sistema de control político local. Las comunidades indígenas del altiplano se convirtieron así en fuente de mano de obra temporal para las haciendas de café (aproximadamente un 8,5 % del total de indígenas estaba en esta situación en 1880), y la movilización forzosa persistió hasta la década de 1930. Jornaleros, mestizos y criollos pobres, muchos de ellos desposeídos por la abolición del censo enfitéutico, proporcionaron la mano de obra permanente requerida por el nuevo cultivo de exportación, bajo el sistema conocido como *colonato*. El peón recibía una parcela, dentro de la finca, en la cual podía cultivar lo necesario para la subsistencia familiar. A cambio de ello quedaba obligado a prestar servicios gratuitos en la finca, en horas de trabajo por día, o en un número dado de jornadas por semana o por mes. La contratación era oral y el sistema estaba regulado únicamente por la costumbre.

«Paz, educación y prosperidad material», el lema de la Reforma, adquirió particular significado en dos aspectos: el furioso anticlericalismo y el fomento de las obras y servicios públicos exigidos por la gran expansión del café. Se construyeron caminos y puertos y se inició la gran obra de un ferrocarril hacia el Atlántico (inaugurado en 1908), la ruta ideal para exportar el café en ausencia del canal de Panamá (abierto en 1914). Las crecientes necesidades financieras condujeron a empréstitos externos, y muy pronto el propio Estado y los comerciantes locales perdieron el control de la banca, el comercio de exportación y las finanzas.

El anticlericalismo no obedecía a razones puramente económicas. La expropiación de los bienes territoriales fue sólo un episodio (aunque de crucial importancia) en un combate de amplitud mayor. La Iglesia era un obstáculo para el desenvolvimiento de una educación moderna ya que según la Ley de Pavón (1852) las escuelas de primeras letras estaban bajo la supervisión de los curas de cada parroquia. Por otra parte, la identificación entre la Iglesia y el régimen de Rafael Carrera había sido tan estrecha que los liberales no dudaban en considerarla como un verdadero obstáculo para el desarrollo de instituciones democráticas. El gobierno de Barrios se orientó, en consecuencia, a eliminar todos los fueros y privilegios especiales de la Iglesia, reservando al Estado el manejo de la educación y el registro civil de nacimientos, casamientos y defunciones. El programa educativo estuvo marcado por la introducción del positivismo, el desarrollo de escuelas primarias, la creación de institutos de educación media en las principales ciudades del país y la modernización de la Universidad de San Carlos, con un énfasis manifiesto en las profesiones liberales. La expulsión de las órdenes religiosas y la clausura de conventos y monasterios completó el quiebre del poder eclesiástico.

Justo Rufino Barrios gobernó en forma dictatorial entre 1873 y 1879. Las reformas institucionales estaban ya suficientemente consolidadas en esta última fecha, cuando decidió convocar una asamblea constituyente, y quedaron plasmadas en un texto breve y a menudo ambiguo, que concedía un amplio margen de discreción al poder ejecutivo y subrayaba incesantemente el carácter laico y centralizado del Estado. El prístino credo liberal de la Constitución de 1879 (regirá en Guatemala hasta 1945) tuvo así una vigencia limitada a las clases propietarias, poco interesadas, por lo demás, en las formalidades de la democracia representativa. El mismo Barrios fue un caudillo autoritario, temperamental y decidido, muy poco dispuesto a ver limitado un poder personal, que aunque omnímodo, no dejaba de sufrir permanentes amenazas de sublevaciones, intrigas y conspiraciones. Lorenzo Montúfar, un distinguido intelectual de las huestes liberales, confesó en una carta famosa los dilemas a que se enfrentaron los redactores de la Constitución:

«La Asamblea se instaló y yo fui diputado de ella e individuo de la Comisión de Constitución. Aquella Comisión palpaba que el General Barrios puede compararse a un león africano, que es imposible se contenga dentro de una jaula de hilos de seda, y se quiso que la jaula constitucional fuese muy grande y con una puerta vasta para que el león pudiese entrar y salir sin reventar los hilos... La Constitución fue decretada y la experiencia ha venido a demostrar la previsión de los legisladores de 1879. Barrios no observa la ley fundamental. El león no sale de la jaula por la vasta puerta. Tiene placer en destrozar los hilos de seda...»

En sus relaciones con los vecinos Barrios ensayó artes muy similares a las de Rafael Carrera: la consolidación del poder liberal en Guatemala exigía gobernantes amigos en Honduras y El Salvador. Pero en 1885 su política adquirió un sesgo mucho más radical. El 28 de febrero promulgó un decreto declarando la Unión de Centroamérica en una sola república, acompañado de una fogosa proclama en la que se declaraba: «divididos y aislados no somos nada, unidos podremos serlo, y lo seremos todo.» Al mismo tiempo se declaraba Jefe Militar de la nueva nación. La proclama fue rechazada de inmediato por El Salvador, Costa Rica y Nicaragua, al igual que por México y los Estados Unidos. Barrios acudió a las armas y un mes después invadió El Salvador, pero murió en la batalla de Chalchuapa. Se cerró, con ello, un nuevo y efímero episodio unionista.

En El Salvador, la Reforma Liberal correspondió directamente a la influencia guatemalteca, y fue sobre todo obra del presidente Rafael Zaldívar (1876-1885). A diferencia de Guatemala, la Iglesia poseía pocas propiedades fundiarias y las comunidades indígenas y ejidos de los pueblos ocupaban las tierras más aptas para el cultivo del café. La expropiación comenzó en 1879 y se acentuó con las leyes de 1881 y 1882 que extinguieron ejidos y comunales. El resultado fue una proletarización más rápida que en cualquier otro lugar de Centroamérica, acompañada del acaparamiento de tierras por un reducido grupo de terratenientes. El café se expandió con mucha rapidez, en un país que contaba con poblaciones más densas y menos dispersas. La construcción ferroviaria y la modernización de puertos y caminos fueron facilitados también por la abundante oferta de mano de obra, la reducida extensión del país y la existencia de obstáculos geográficos relativamente moderados.

Aunque Zaldívar se opuso firmemente a Barrios en 1885, su régimen no sobrevivió a la guerra de ese año, y los grupos liberales provocaron un alzamiento dirigido por el general Francisco Menéndez. Se abrió así un período de gobiernos militares autoritarios, invariablemente renovados por golpes de Estado (en 1890, 1895 y 1898), y caracterizados por un liberalismo positivista y pragmático plasmado en la Constitución de 1886.

Honduras y Nicaragua conocieron Reformas Liberales frustradas o incompletas. En el primer caso, Marco Aurelio Soto, un títere político de Barrios, que tomó el poder en 1876, intentó lo que se podía en un país desarticulado, con población escasa y dispersa. El ferrocarril interoceánico proyectado desde Puerto Cortés (en el golfo de Honduras), hasta el Golfo de Fonseca, fue un estruendoso fracaso, debido a la venalidad de sucesivos gobiernos y a costos de construcción mucho más elevados de los previstos. Careciendo de transportes baratos, en una geografía particularmente escabrosa y difícil, la agricultura de exportación (el café fue sistemáticamente ensayado durante el gobierno de Soto, 1876-1883) estaba condenada. El mismo Soto volcó sus intereses personales en la vieja y finalmente decepcionante fantasía: la minería de la plata. Poco progreso se logró de ella en una época de abundancia de la producción mundial. Los capitales extranjeros controlaron muy rápido la explotación que se encuadró en técnicas y transportes extremadamente primitivos.

Luis Bográn continuó la obra de Soto entre 1883 y 1891, pero su sucesión abrió un período de notoria inestabilidad política que sólo acabó en 1894, con el ascenso al poder de Policarpo Bonilla, quien contaba con el firme apoyo de los liberales nicaragüenses. Su gobierno se extendió hasta 1899 y continuó el programa de Soto y Bográn de reforma institucional y progreso material. Pero los resultados netos fueron magros. Fragmentación regional, grandes dificultades de comunicación, y atraso siguieron dominando la vida hondureña e impidieron la consolidación de un verdadero poder a escala nacional. Por eso mismo, la gravitación de los estados vecinos no sólo fue demasiado frecuente, sino que también constituyó un poderoso ingrediente en la a menudo compleja fórmula de la inestabilidad.

Nicaragua ofrece un ejemplo de revolución liberal frustrada y tardía. A la derrota de Walker le sucedieron más de treinta años de estabilidad conservadora, bajo el notorio predominio de los ganaderos y comerciantes de Granada. En la década de 1880 se construyó un ferrocarril entre Corinto y Momotombo, y años después las líneas llegaban a Managua y Granada. El café se expandió en las laderas del occidente, entre la costa del Pacífico y la depresión lacustre. Pero la escasez de mano de obra constituyó un obstáculo serio que los gobiernos conservadores no pudieron resolver, a pesar de leyes contra la vagancia (1881-1883) y de diversas medidas que privatizaron las tierras comunales.

Los liberales asumieron el poder en 1893, bajo la conducción de José Santos Zelaya, un caudillo que tenía mucho en común con Justo Rufino Barrios. Su empeño en modernizar Nicaragua fue particularmente notable, dentro de un estilo de gobierno autoritario pero particularmente dinámico. La construcción ferroviaria continuó con ramales de León a Corinto, de Chinandega a El Viejo y de Masaya a Diriamba, y hubo planes para abrir líneas hacia las sierras de Matagalpa y la Mosquitía. La promoción del capital extranjero fue decidida y se produjo un relativo florecimiento de la minería. Pero lo más significativo fue la llegada de algunos comerciantes y empresarios que se dedicaron al cultivo del café. Zelaya no ahorró facilidades para la provisión de mano de obra autorizando un sistema de enganches y deudas bastante próximo del peonaje, que se complementó con el reclutamiento forzoso de vagos y desocupados para el ejército. Pero internamente el cultivo del café no desplazó a la ganadería, tradicionalmente vinculada al mercado norteamericano, mientras que los capitales extranjeros crecían en el sector minero y en diversas actividades extractivas desarrolladas en la región atlántica. La fragmentación de intereses conspiró así decisivamente contra la unidad de la clase dominante.

La cuestión de la vía interoceánica y las presiones extranjeras (mayores que en cualquier otro país centroamericano) siguieron entrelazándose en ese tejido social de por sí complejo. El resultado, lleno de vacilaciones, retrocesos y contradicciones, se reveló con dramática plasticidad en la intervención norteamericana de 1912. Y los *marines* llegaron para quedarse.

Zelaya, sin embargo, reveló una energía y audacia poco comunes. En 1894, retomó el control de la Mosquitía y enfrentó con éxito las iras inglesas durante el bloqueo de Corinto en 1895. Para los intereses norteamericanos que negociaban un tratado canalero fue un hueso duro de roer. El contrato, propuesto en diciembre de 1901, fue declarado inaceptable por el Departamento de Estado, ya que no incluía derechos de extraterritorialidad. La cesión de los derechos de la compañía francesa, en 1902, y la independencia de Panamá en 1903, desplazó el interés inmediato hacia el sur; pero al mismo tiempo la región entera se tornaba vital para los intereses económicos y militares de los Estados Unidos.

El cambio institucional se reflejó en la Constitución de 1894, comunmente conocida como «La libérrima» y en una importante obra de codificación. Pero en la Constitución de 1905 se redujeron considerablemente las garantías y derechos individuales, y se fortaleció notablemente el poder ejecutivo. No sólo de hecho, sino también de derecho, el régimen de Zelaya recurría en forma reiterada a los métodos autoritarios.

Bajo el lema de la Unión, Zelaya intervino repetidamente en Honduras y El Salvador y logró que ambos países accedieran a constituir, junto con Nicaragua, la *República Mayor de Centroamérica*. Pero el intento no pasó de un simple pacto y tuvo una existencia efímera, entre

1895 y 1898. Un nuevo intento «unionista» de Zelaya, entre 1902 y 1907 lo enfrentó seriamente con Estrada Cabrera, dictador omnímodo de Guatemala, y no dejó de inquietar tanto a México como a los Estados Unidos. En un panorama mucho más complejo, se repetía el esquema ensayado por Barrios en 1885: lograr la unidad de la región por la fuerza. De hecho, el incesante retorno del unionismo posterior al fin de la Federación en 1839 se expresó en tres variantes: la defensa colectiva contra las agresiones externas (como en la guerra contra Walker o el apoyo a Zelaya en 1895); un pretexto legitimador de la intervención en los asuntos de otros Estados (Barrios en 1885, Zelaya en 1895-1898 y 1902-1907); o la utopía de grupos intelectuales (como el Partido Unionista Centroamericano formado por Salvador Mendieta en 1899).

Zelaya fue derrocado en 1909, por un complot conservador, en medio de fuertes fricciones diplomáticas con Estados Unidos. Las raíces del conflicto incluían cancelaciones de concesiones a compañías norteamericanas y diversos intentos por interesar a otras potencias en la construcción de un canal por Nicaragua, abriendo así una competencia (y un peligro) a la empresa panameña.

En Costa Rica, el liberalismo se impuso gradualmente. Como ya se dijo, la razón básica para ello debe buscarse en el éxito temprano del café en una sociedad aislada y sin «herencia colonial»: población escasa, abundantes tierras disponibles y ausencia de formas de trabajo forzado. La obra de Braulio Carrillo fue continuada en las décadas siguientes. De particular mención es la promoción de la educación pública y la libertad de prensa por el presidente Castro Madriz (1847-1849 y 1866-1869). La dictadura del general Tomás Guardia (1870-1882) ofrece un raro ejemplo de «autoritarismo progresivo»: promulgó la constitución de 1871, que regiría (salvo entre 1917 y 1919) hasta 1949, abolió la pena de muerte y emprendió un ambicioso programa de modernización con amplia participación del capital extranjero (Contrato de construcción del ferrocarril hacia el Atlántico, habilitación de Puerto Limón, etc.). Sus sucesores, Próspero Fernández y Bernardo Soto, terminaron con los privilegios del clero y promovieron una drástica reforma educativa. Pero el auge liberal del último cuarto del siglo XIX tiene menos el carácter de reordenamientos drásticos que el de consolidar la dominación social, a través de mecanismos que articulaban legalmente el ejercicio del poder y la participación política. La prueba de fuego sobrevino en 1889, cuando los liberales aceptaron la derrota electoral. Los gobiernos de José Joaquín Rodríguez (1890-94) y Rafael Yglesias (1894-1902) fueron de corte autoritario, pero continuaron con la obra de modernización y progreso, en un clima económico particularmente adverso.

La competencia electoral tampoco fue limpia en las elecciones de 1901 y de 1905-06, pero el estilo político se acercaba más al funcionamiento efectivo de una democracia representativa. Había mucho menos personalismo que en los demás países centroamericanos, la transacción era una regla del juego político crecientemente aceptada y existía un relativo respeto al marco legal y una relativa vigencia de la libertad de prensa. Ello permitió, en las décadas siguientes, la incorporación gradual y exitosa, de nuevos sectores sociales a la participación política.

3.4. *Estado, sociedad y nación*

Juzgar desde el presente puede ser injusto, y cuando menos, arbitrario. Pero hay que evaluar, de alguna manera, el camino recorrido desde la Independencia hasta fines del siglo XIX. El balance puede intentarse considerando tres procesos básicos: a) el triunfo del separatismo; b) la consolidación de los Estados nacionales; y c) la mutación de la ideología liberal, de la utopía romántica al pragmatismo positivista.

El separatismo se impuso progresivamente, a lo largo del siglo XIX. La Federación Centroamericana fracasó, en medio de una guerra civil generalizada, y los intentos por reconstruirla en las décadas de 1840 y 1850 tuvieron el mismo resultado: guerras, destrucción y muerte. Justo Rufino Barrios y José Santos Zelaya, en el último cuarto del siglo XIX, no tuvieron mejor suerte pero sí iguales resultados: propagaron nuevos conflictos intestinos, en un ambiente ya suficientemente turbulento.

El triunfo del separatismo fue paralelo a la consolidación de los Estados. Los primeros signos inequívocos aparecen en el momento mismo de la Independencia, cuando en cada ciudad importante las élites que ejercen el poder comienzan a actuar con una autonomía demasiado segura y no menos arrogante. El episodio que sigue, ya en los días de la efímera anexión a México y los avatares de la República

Federal, se refiere a la cuestión de la capitalidad. Donde no había un núcleo urbano con supremacía indiscutida, como fue el caso de Honduras, Nicaragua y Costa Rica, la construcción de un poder a escala nacional implicaba una simplificación en las jerarquías citadinas, con el necesario sometimiento de los intereses locales a un poder administrativo central. Y ello se produjo tarde (Honduras y Nicaragua) o temprano (Costa Rica).

La consolidación estatal dependió de tres clases distintas de factores. En primer lugar, el pasado colonial favoreció ciertas unidades territoriales y perjudicó otras. En segundo lugar hubo coyunturas y circunstancias particulares. Una buena parte de las definiciones se efectuó en el curso de las guerras civiles del período federal, y no faltaron tampoco las intervenciones extranjeras. Tres ejemplos «negativos» ayudan a entender la incidencia de este tipo de factores. Chiapas se separa del antiguo Reyno de Guatemala bajo la influencia mexicana, oportunamente ejercida por las tropas de Filísola, y el estado de Los Altos tiene una existencia apenas efímera, mientras que Belice acaba consolidándose como un enclave colonial inglés. En Costa Rica, por su parte, el aislamiento geográfico operó decididamente en favor de la consolidación temprana del Estado Nacional. La estructuración estatal dependió, en cambio, de un tercer tipo de factores. Se trata de las interacciones dinámicas entre el desarrollo del poder del Estado y la expansión de la economía agroexportadora.

No fue fácil reemplazar los circuitos de la economía colonial, deshechos progresivamente desde finales del siglo XVIII. La aparición de verdaderas alternativas, después de la Independencia tuvo una lentitud igualmente exasperante. Y esos tanteos de lo nuevo tampoco eran fáciles cuando había intereses constituidos, que se resignaban con dificultad al abandono de las viejas soluciones coloniales. A mediados del siglo XIX, el contraste entre el temprano éxito de las exportaciones de café en Costa Rica y el renacimiento de las opciones del antiguo régimen en Guatemala, El Salvador, Honduras y Nicaragua, es sintomático. En el primer caso, el café se impuso gracias a una coyuntura favorable y al aventado empuje de unos mercaderes visionarios; pero internamente no había muchos intereses contrapuestos. En los demás estados, en cambio, el excesivo riesgo o la ausencia de posibilidades novedosas llevaba a reconstruir o reorientar las soluciones coloniales: los colorantes, la minería y el ganado. Y es en este ambiente donde va tomando cuerpo el Estado Nacional, luego de la crisis de la Federación.

El encendido discurso liberal del período de la Reforma no debe conducir a engaños: fuera de la secularización y una mayor concentración de atribuciones en los poderes públicos, el cambio con respecto a la época conservadora no es demasiado espectacular. Las formas de ejercicio del poder se modifican poco y contrastan, eso sí, con la pureza del lenguaje estampado en las constituciones y las leyes. En los hechos, los nuevos Estados son tan hijos del credo liberal como herederos de la restauración conservadora.

¿Quiénes toman el poder con las reformas liberales? Al menos en un principio, el grupo es socialmente heterogéneo: terratenientes, comerciantes, sectores medios urbanos; hay también muchos advenedizos y no pocos conservadores recién conversos. Lo que define a los nuevos empresarios es su visión de las oportunidades de inversión; sin embargo, con los empresarios tradicionales la competencia por recursos será mínima, y por eso mismo, el conflicto casi nunca es frontal. Los grandes perdedores en la nueva situación no son por cierto los empresarios del añil o los hacendados ganaderos, sino las comunidades indígenas y la Iglesia.

Con la Reforma liberal, el Estado pudo liberar recursos para el desarrollo de la economía agroexportadora, y ampliar notoriamente las bases de acumulación dc los nuevos empresarios cafetaleros. Casi podría decirse que el Estado liberal «creó» así su propia clase dirigente.

Conviene recapitular ahora ciertos atributos básicos del Estado Nacional que se van consolidando, aunque en forma desigual y con grandes variantes de país a país, a lo largo del siglo XIX:

a) la centralización del poder administrativo, fiscal y judicial;
b) la delimitación del territorio, en su doble dimensión de control interno y reconocimiento externo de la soberanía. (Ver los mapas 9 y 10.);
c) fuerzas militares y de policía para garantizar el orden interno y la defensa;
d) un marco legal, compuesto de constituciones, códigos y leyes;
e) cierto grado de organización burocrática, con el consiguiente distanciamiento del personalismo y los intereses puramente individuales;

f) elementos de integración cultural, como una ideología nacionalista difundida por la educación pública y diversas formas de participación en el sistema político.

Lo más débil se encuentra, sin duda, en los tres últimos aspectos. Las formas burocráticas tardaron mucho en establecerse, fuera del ámbito puramente legal, y el personalismo y la arbitrariedad fueron moneda corriente. Las formas de participación política estuvieron llenas de exclusiones, y por consiguiente la integración social de las nuevas naciones fue problemática y tuvo que apoyarse en muchos rasgos culturales más antiguos y tradicionales. El marco legal fue poco original. La copia sin mucha imaginación abrió el camino para una más que frecuente violación de las normas. Eso era, en el fondo, peligroso, ya que establecía una distancia cada vez más abismal entre los principios de conducta y los hechos mismos, socavándose así una importante fuente de legitimación.

En la segunda mtiad del siglo XIX la ideología liberal sufrió un importante proceso de transformación. El idealismo utópico y romántico de la época de la Independencia y la Federación fue sustituido por un positivismo pragmático, que no vacilaba en acudir a diversas formas de transacción. El contraste queda bien ilustrado si se compara al nicaragüense Máximo Jerez (1818-1881) con el reformador guatemalteco Justo Rufino Barrios (1835-1885).

El primero fue una especie de Quijote, infatigable e iluso, obsesionado por la unidad centroamericana. Abogado, latinista y apasionado por la cosmografía, fracasó en casi todo: la política, las campañas militares... En las décadas de 1860 y 1870 se había convertido en una especie de símbolo del legado morazanista, perseguido por una mala estrella tan funesta como la de su arquetipo. El general Jerez urdió con sus amigos liberales el llamado a Walker en 1855, luchó después en forma valiente y denodada contra los filibusteros, y fue incapaz de obtener ventajas al final de la «Guerra Nacional», en 1857. Lucha después en El Salvador junto con Gerardo Barrios, y trata de derrocar a los conservadores nicaragüenses, pero es vencido en 1863. Nuevas y funestas aventuras en Nicaragua en 1869. Con el apoyo guatemalteco en 1876 intenta otra vez invadir Nicaragua, pero esta vez no hay siquiera combates, y la «falange» se disgrega en medio de la ineficacia y el desencanto. A su muerte (1881), el hondureño Adolfo Zúñiga escribió un elogio lacrimoso pero exacto de este «lunático sublime»:

«Hombre a la manera antigua, en este siglo positivista y calculador, en este siglo de mezquindad y prosa, siempre era juguete y víctima de los prestidigitadores y de los farsantes políticos. Demasiado honrado y sincero, no poseía las malas artes que aseguran los fáciles, pero siempre efímeros triunfos, y la falsa y volandera popularidad.»

El realismo político que le faltó a Jerez le sobró con creces a Justo Rufino Barrios. Enérgico, autoritario y decidido, tuvo siempre un raro sentido de la oportunidad política. No midió las formas y todo lo sacrificó en aras del progreso. El resultado fue un gobierno dictatorial, con una prensa domesticada y un fuerte control policíaco, legitimado por una Constitución hecha a medida y diputados fieles. El modelo tendrá larga vida en Centroamérica, como lo tendrá también el ritual de la renuncia periódica, prontamente retirada ante las súplicas emocionadas de los congresistas. Un poder así practicado tenía el toque supremo de la eficacia, en una sociedad arcaica que luchaba por la modernización. Y en ese contexto, el sacrificio de fórmulas y principios parecía francamente secundario.

Las vicisitudes de las ideas unionistas miden bien el cambio producido en la actitud de los liberales. En las décadas de 1840 y 1850 todos los liberales son unionistas. Veinte o treinta años después la situación es muy distinta. Los intentos de Barrios y Zelaya son resistidos con las armas por sus propios aliados ideológicos. Siempre hay ilusiones que mueren en los momentos de triunfo.

Capítulo 4
El crecimiento empobrecedor (1900-1945)

4.1. *Las economías de exportación*

Las exportaciones de café permitieron una vinculación permanente y duradera de las economías centroamericanas al mercado mundial. De ello se derivaron algunas consecuencias de gran significación: un crecimiento económico sostenido, la afirmación del orden social delineado por las Reformas Liberales, y una subordinación creciente de los intereses de las clases dominantes a los capitales extranjeros y la dinámica del mercado externo.

La expansión del café provocó importantes modificaciones estructurales internas: en el mercado de tierras, en las relaciones laborales y en la organización comercial y financiera. Se trató, por una parte, de requisitos básicos para el «despegue» de las exportaciones de café, y así fueron impulsadas por los gobiernos de la Reforma Liberal. Pero, por otra parte, su profundización fue una exigencia del propio crecimiento de la economía cafetalera. Así las cosas, la tendencia al monocultivo fue inevitable, al igual que una presión creciente sobre las tierras y la mano de obra dedicadas a la agricultura de subsistencia.

El temprano desarrollo cafetalero de Costa Rica sirvió de ejemplo a los demás países centroamericanos. La tecnología de cultivo y del procesamiento del grano (beneficio), fue en gran parte resultado de ese primer experimento y fue difundida con rapidez, en las décadas de

1870 y 1880 en Guatemala y El Salvador. Con mayor disponibilidad de mano de obra, ambos países tenían ya a finales del siglo XIX una amplia supremacía en la producción cafetalera del istmo. El café modificó y unificó la vida centroamericana en las tierras altas centrales y el litoral pacífico como ningún otro producto. Desde Guatemala hasta Costa Rica el paisaje agrario se pobló de cafetales sombreados, y la cosecha, beneficio y transporte del grano, en los meses de noviembre a abril, pasó a presidir una importante movilización de trabajadores rurales. Las técnicas de cultivo eran próximas a la jardinería: siembra de almácigos, transplante, poda y deshierbe. La sombra, provista por árboles mayores, protegía del sol ardiente y de los vientos. Los abonos y el riego artificial eran raros; no podía ser de otro modo en ricos suelos volcánicos y zonas con precipitaciones regulares. Los rendimientos decrecientes tardaron en aparecer, y por eso la primera gran fase de la expansión del café dependió estrechamente de la calidad e intensidad del trabajo. Ninguna operación podía mecanizarse en terrenos quebrados dedicados a un cultivo permanente.

En Guatemala y El Salvador el paisaje agrario estuvo dominado por propiedades relativamente grandes, concentradas en pocas manos, mientras que en Costa Rica la pequeña y mediana propiedad cafetalera conservó siempre un papel destacado. Los sistemas de trabajo también presentaron acusados contrastes. En Guatemala y El Salvador las condiciones laborales fueron particularmente represivas. El colonato fue de uso habitual para asegurar la mano de obra permanente, y en Guatemala se recurrió a sistemas compulsorios para enganchar a los indios en los trabajos de la cosecha. Tampoco estuvieron ausentes los pagos con fichas, convertibles únicamente en tiendas pertenecientes a los terratenientes, y la persecución policial a quienes no podían demostrar que estaban empleados en alguna finca. En El Salvador y Costa Rica, los trabajos de recolección se hacían empleando trabajo asalariado, pero esa similitud no debe hacer perder de vista una diferencia crucial: en el primer caso, los trabajadores pertenecen masivamente a un campesinado expropiado, mientras que en el segundo se trata sobre todo de pequeños y medianos propietarios, que contribuyen con fuerza de trabajo familiar excedente.

Desde un punto de vista macroeconómico, el proceso de acumulación en las economías cafetaleras centroamericanas puede verse, simplemente, como la incorporación de tierras y mano de obra a la producción. Hasta la década de 1950, las variaciones en los rendimientos por área dependieron (haciendo a un lado las fluctuaciones climáticas y otros factores aleatorios) de la calidad e intensidad del uso del factor trabajo. En estas condiciones, es obvio que los beneficios serán apropiados principalmente por quien disponga de la propiedad o el control sobre la tierra, y del capital requerido para el financiamiento de la producción y el procesamiento del grano.

En El Salvador, la elevada densidad demográfica y la expropiación masiva de las comunidades indígenas generó un campesinado sin tierras que constituyó una oferta de mano de obra abundante y barata. Una vez apropiados los terrenos aptos para el café, los empresarios dispusieron de condiciones ideales para la acumulación. En Guatemala, la disponibilidad de tierras no aseguraba, —dada la situación de las comunidades indígenas—, la oferta de mano de obra. Para ello se recurrió al trabajo forzado, una opción que no era la óptima bajo estrictos criterios capitalistas, pero que tenía la virtud de asegurar la mano de obra necesaria para la expansión cafetalera. En ambos casos, la acumulación de tierras y la disponibilidad de grandes propiedades era sin duda la mejor opción empresarial. En mercados de trabajo del tipo recién señalado, los salarios se regulaban de acuerdo con el costo interno de reproducción de la fuerza de trabajo. Así las cosas, las relaciones entre terratenientes y trabajadores se tornaba un «juego de suma cero»: una vez apropiada la tierra, los terratenientes maximizaban los beneficios manteniendo al mínimo los costos monetarios de la mano de obra. Ninguna fuerza espontánea en el mercado de bienes y servicios podía provocar cambios en la distribución del ingreso. Los campesinos podían únicamente mejorar su posición si lograban convertirse en propietarios, o si conseguían, previa organización sindical, una negociación colectiva de salarios. Debe notarse que ambas posibilidades, típicas de cualquier programa reformista, significaban sin embargo, en el contexto de las estructuras socioeconómicas de Guatemala y El Salvador, una transformación particularmente radical.

Consideremos ahora de nuevo el caso de Costa Rica. La evolución colonial produjo un campesinado libre, con una fuerte tradición individualista, en un contexto de baja densidad demográfica y una economía aislada. La temprana expansión de un cultivo como el café, intensivo en el uso del trabajo, tuvo la virtud de reforzar esa estructura social en la que predominaba la pequeña y mediana propiedad subordinada al capital mercantil. Los empresarios que dispusieron inicialmente de mayor fortuna o que tuvieron un particular éxito en los negocios cafetaleros, conformaron una clase dirigente poderosa, que basaba su riqueza en el monopolio del procesamiento del café (beneficio) y el manejo del capital comercial (crédito, financiamiento de la producción y exportación). Aunque estos empresarios también poseían, por lo general, las propiedades agrícolas de mayor tamaño, su papel en la producción era secundario. La expansión cafetalera supuso una colonización lenta y gradual, basada en el asentamiento de nuevas familias en las zonas de frontera: se reproducía así la estructura de pequeños y medianos propietarios sometidos al dominio del capital comercial. Por otro lado, en el transcurso del tiempo, la subdivisión de la propiedad por la herencia y el fin de la frontera agrícola en cuanto a tierras aptas para el café (hacia 1930), dieron las bases para el crecimiento gradual de un semiproletariado rural.

En Costa Rica las relaciones entre empresarios cafetaleros (capital comercial y beneficio) y pequeños y medianos productores constituían las bases de la dinámica social. Aunque en forma desigual, todos participaban en los beneficios generados por las exportaciones. En otros términos, la relación puede caracterizarse como un «juego de suma distinta de cero». Las estrategias desarrolladas por ambos sectores, en esa situación, fueron de naturaleza típicamente reformista, esto es, buscaban mejorar la posición relativa de cada uno de ellos en el mercado de bienes y servicios. La institucionalización de estos conflictos constituyó un poderoso elemento de legitimación, y la colaboración y el acuerdo entre clases fue un rasgo esencial en el proceso, lento y gradual, de construcción del Estado Nacional.

El auge económico repercutió en la urbanización, y las importaciones variaron los gustos y hábitos de las clases propietarias. Las capitales centroamericanas, verdaderas aldeas durante el siglo XIX, adquirieron una fisonomía algo menos provinciana, e incluso recibieron ciertos ecos de la arquitectura de la «belle époque». Sectores medios, muy incipientes, vinculados al comercio y la burocracia estatal, comenzaron a hacer una tímida aparición social.

Las necesidades de transporte del café tuvieron consecuencias mayores para las economías de Centroamérica. Hasta la inauguración del canal de Panamá el café de Centroamérica (tipo «suave-aromático» y de calidad muy apreciada) llegaba a los mercados consumidores europeos a través de un largo periplo, que incluía la costa californiana o la ruta marítima del Cabo de Hornos. El ferrocarril interoceánico por Panamá era una solución a medias, ya que las abundantes lluvias encarecían el manejo de grandes cantidades del producto, y sobre todo amenazaban su calidad. La solución más directa, que los gobiernos de Costa Rica y Guatemala intentaron desde la década de 1870, fue la construcción de líneas ferroviarias hacia el Atlántico, para habilitar así puertos adecuados. La conclusión de estas empresas (Costa Rica en 1890, Guatemala en 1908), trajo consecuencias de la mayor significación: 1) implicaron una activa penetración del capital extranjero, inglés y norteamericano; 2) originaron la exportación bananera; y 3) abrieron parcialmente la región atlántica a la colonización.

Las actividades bananeras comenzaron en la década de 1870, con embarques desde la costa de Honduras, vendidos en Nueva Orleáns. Minor Keith, constructor del ferrocarril entre Limón y San José desde 1871, enfrentado a un grave déficit y con un ramal instalado, decide intentar el negocio en 1878 y obtiene un rápido éxito. Hasta finales del siglo las exportaciones de banano hacia el mercado de Nueva Orleáns estaban diseminadas alrededor de la cuenca del Caribe, y eran controladas por pequeñas y medianas compañías, propietarias de las embarcaciones, mientras que la producción corría a cargo de productores nacionales. Pero las concesiones de tierras alrededor de las líneas ferroviarias ampliaron las posibilidades del negocio a niveles insospechados. Se podía así habilitar plantaciones en el interior y ampliar la escala de la producción. El control de muelles y embarcaderos y el uso de barcos mayores, con cámaras frigoríficas, completó el cuadro técnico de una actividad que requería un tiempo de exportación cuidadosamente calculado al tratarse de un producto perecedero. La *United Fruit Company* se formó en 1899, con un capital de 11 millones de dólares, combinando concesiones de tierras y empresarios norteamericanos que actuaban en Colombia y Costa Rica. Junto con la *Cuyamel Fruit Company,* de Samuel Zemurray (ambas compañías se fusionaron en 1929), y la *Standard Fruit and Steamship Company,* monopolizó las actividades bananeras de toda el área centroamericana y el Caribe.

La región atlántica de Centroamérica, desde Guatemala hasta Panamá, adquirió así una nueva fisonomía. Trabajadores asalariados, provenientes de Jamaica, laboraban en las grandes plantaciones de las compañías norteamericanas. Esos inmigrantes de origen afroamericano se sumaron a los pocos habitantes del mismo origen que poblaban la región desde el siglo XVII, reforzando los rasgos culturales caribeños. Esa otra Centroamérica quedó así aún más separada de las tierras altas centrales y el litoral pacífico. La relativa autarquía de las compañías bananeras reforzó, sin duda, ese microcosmos: con sus propios transportes, escuelas, hospitales, sistemas de comunicación y comisariados, éstas constituían verdaderos enclaves en la espesura tropical.

La penetración de los capitales extranjeros —sobre todo norteamericanos después de la Primera Guerra Mundial— complementan la cada vez más estrecha vinculación al comercio mundial. Aunque el café siguió fundamentalmente en manos de los productores nacionales, no debe dejar de notarse que, por ejemplo, en Guatemala, los plantadores alemanes poseían en 1913 sólo el 10 por 100 de las fincas de café, pero producían el 40 por 100 del volumen total de la cosecha. Las poderosas compañías bananeras, con intereses extendidos a una gama muy variada de actividades (plantaciones, ferrocarriles, líneas de navegación, barcos, empresas de comunicaciones, etc.) pasaron a tener un papel cada vez más relevante. Como interlocutores de los gobiernos centroamericanos, tendieron a representar globalmente los intereses imperialistas del capital foráneo.

Cuarenta o cincuenta años después, los frutos del desarrollo agroexportador no dejaban de ser magros. Los países centroamericanos, pequeños productores en el concierto mundial, eran extremadamente vulnerables a las fluctuaciones de la coyuntura externa. Sus economías eran poco diversificadas y los principales productos exportados —café y bananos— no dejaban de ser «postres» en la mesa de los consumidores europeos o norteamericanos. La alta calidad del café centroamericano no alcanzaba a compensar las desventajas del monocultivo. El banano resultó extremadamente débil frente a pestes y plagas, lo que provocó el abandono de regiones enteras, agudizando los problemas de empleo y pobreza rural.

La integración de las economías nacionales fue lenta y desigual. El sector agroexportador tuvo un reducido impacto en cuanto a efectos de diversificación económica. Dicho de otro modo, la producción para la exportación originó muy pocas actividades económicas adicionales, en los sectores primario y secundario. Sólo el comercio y los servicios tuvieron una expansión significativa y ello era hasta cierto punto natural, en economías nacionales de tamaño reducido, con poblaciones relativamente pequeñas y escuálidos mercados consumidores. La demanda interna de bienes de consumo era satisfecha básicamente con mercaderías importadas y con bienes producidos para el autoconsumo en las explotaciones agrícolas. Si se examina la composición de las importaciones, según tipo de producto, es sintomático que, entre finales del siglo XIX y la década de 1950, se observan muy pocos cambios: alrededor de un 50 por 100 de lo importado corresponde a bienes de consumo no duradero.

La colonización de zonas vacías dependió de la existencia de tierras vírgenes disponibles, de las facilidades de transporte y de la política estatal garantizando el acceso a la propiedad. Aunque en forma lenta y desigual, el capitalismo agrario se fue extendiendo hacia esas regiones. Pero lo que ocurría en las fronteras de colonización era por entero funcional a los patrones imperantes en la economía agroexportadora, e implicó, por lo tanto, escasas modificaciones al carácter de la estructura social.

En suma, el desarrollo agroexportador no empujó hacia una expansión del capitalismo en *profundidad,* añadiendo *nuevos* sectores a la producción, incorporando nuevas tecnologías y mejorando la productividad del trabajo. Dicho de otro modo, el sector agroexportador no actuó como multiplicador del crecimiento, y el conjunto de la activiad económica estuvo siempre sometido a los continuos vaivenes del mercado internacional.

En consecuencia, las crisis de la coyuntura externa, como la depresión de los precios del café entre 1897 y 1908, la Primera Guerra Mundial o el colapso de 1929, no podían tener sino un efecto retardatario que implicaba el refugio en la economía de subsistencia. Para los grandes propietarios terratenientes esta artimaña tenía indudables ventajas, ya que permitía reproducir el sistema, conservando los cafetales mientras se esperaban tiempos mejores.

4.2. *«El Señor Presidente»: Teoría y práctica de la política liberal*

Más que en ser sociedades con profundas desigualdades, la originalidad centroamericana puede buscarse en cómo estos hondos desequilibrios se tradujeron en una vida política de exclusiones. En la práctica, la vigencia de las instituciones y leyes liberales fue sobre todo eso: un inmenso monólogo de las clases dominantes consigo mismas.

Golpes de Estado, elecciones controladas y candidatos impuestos desde el gobierno fueron la regla en la renovación presidencial. Las Asambleas Legislativas se debatían entre su escaso poder, frente a la preeminencia del ejecutivo, y las dificultades de trabajar como un verdadero ente colegiado. Con mucha frecuencia, los debates acababan en insultos o puñetazos, y un asiento en la asamblea era apenas un premio en la repartija de empleos de un magro botín político.

Opinión pública no existía; había, eso sí, clamores populares, emociones, rumores que se extendían en secreto o entre líneas de una prensa casi siempre censurada. Con resignada amargura, el nicaragüense Enrique Guzmán Selva escribía en su diario íntimo, refiriéndose a la elección hondureña de 1902:

«Octubre 27: Desde el domingo empezó a representarse aquí la vieja y pesada y grotesca farsa que todos los centroamericanos llaman "elección presidencial". El resultado ya lo sabemos todos hace tiempo. Me admira el ver cómo todavía hay personas serias que toman participación en semejantes comedias...»

Con diversos ingredientes de violencia, y ciertos toques de sabor puramente regional, la descripción es válida cambiando de latitud y avanzando o retrocediendo en el tiempo.

En los hechos, la independencia de poderes no existía. Las «facultades extraordinarias» y el «Estado de excepción» fueron artificios legales de amplio uso, que permitieron disfrazar un poco la continua preeminencia y los frecuentes abusos del ejecutivo. Por el primero, el presidente legislaba a discreción en los períodos de receso parlamentario; por el segundo se suspendían derechos y garantías individuales ante el menor signo de conmoción externa o interna, y eso significaba invariablemente persecución y control sobre la oposición política.

La concentración del poder en pocas manos y la debilidad política de las organizaciones corporativas de las clases propietarias dio amplio margen al personalismo, encarnado en dictadores tan típicos como Manuel Estrada Cabrera, el «Señor Presidente» de la magnífica novela de Miguel Ángel Asturias.

Un fuerte paternalismo, no desprovisto a veces de una aureola mítica, aseguraba lealtades personales expresadas en la obediencia ciega y la adulación perpetua. La red de servidores remataba, en todo caso, en la policía secreta y una cadena de delaciones particularmente efectiva. Las reelecciones sucesivas, precedidas por «renuncias» rechazadas con arranques de sinceridad tan vehementes como sospechosos, fueron otro ingrediente típico, que exigió no pocos malabarismos con la pisoteada letra de las constituciones.

Estos dictadores nunca dejaron de representar los intereses globales de la oligarquía agroexportadora; pero su poder omnímodo implicó también contradicciones y conflictos sectoriales, y un elemento potencialmente peligroso: con los años, el poder se desgastaba y el dictador caía en medio de una guerra civil o una explosión de ira colectiva. Una república de notables, con dirigentes reclutados entre las familias distinguidas, y una alternancia prudente en los puestos, era, por cierto, una opción mucho más racional. De hecho, funcionó en El Salvador entre 1898 y 1931, y había operado también durante el siglo XIX en Nicaragua con el régimen conservador de los «treinta años». Pero ambas fueron fórmulas políticas precarias debido a una manifiesta incapacidad, por parte de las clases dirigentes, para asumir una transformación del régimen político. En Nicaragua, las familias granadinas que constituían el corazón de la élite conservadora, fueron incapaces de ampliar sus bases sociales y cayeron ante el empuje de los empresarios liberales de Managua y León, liderados por José Santos Zelaya. En El Salvador, ofrecieron una apertura política demasiado tardía (en 1931) como para contener una esfervescencia social que condujo con rapidez fulminante a la revolución y la masacre sangrienta. Después de eso, la delegación del poder político en los militares fue permanente.

En suma, la dictadura personal parece haber sido una especie de necesidad recurrente del régimen oligárquico. Y hay dos razones que pueden hacerlo entendible. La primera se refiere al hecho de que las oligarquías agroexportadoras se constituyeron y desarrollaron como clase (desde el punto de vista socioeconómico) en un proceso simultáneo con la toma del poder político. Y eso dejaba amplio margen para fricciones y luchas entre grupos, y permitía la presencia activa de más de un advenedizo. La segunda tiene que ver con la enorme dosis de violencia y represión que estaba en las raíces mismas de la economía agroexportadora. Sin un gobierno fuerte el crecimiento económico quedaba de inmediato en entredicho.

En Guatemala, ese esquema perduró ininterrumpidamente desde Barrios hasta la caída de Ubico en 1944, pasando por los larguísimos 22 años de la dictadura de Manuel Estrada Cabrera (1898-1920). Los métodos de gobierno pueden señalarse con brevedad: censuras de prensa, exilio y cárcel para la oposición, extendido control policíaco, burocracia estatal reducida y dócil, asuntos de hacienda y finanzas en manos de connotados miembros de las familias cafetaleras, y generoso trato a las compañías extranjeras.

Las «Fiestas de Minerva», celebradas bajo el ala del «Educador y Protector de la Juventud», despertaron el elogio de la prensa centroamericana y cumplieron un notorio rol legitimador. La ciudad de Guatemala se convertía en una novedosa «Atenas tropical», y los intelectuales no escatimaban elogios: Gómez Carrillo desde París, José Santos Chocano, y el propio Rubén Darío:

> «Aquí reapareció la austera,
> la gran Minerva luminosa;
> su diestra alzó la diosa aptera
> y movió el gesto de la diosa
> la mano de Estrada Cabrera.»

Lo llamaron «nuevo Pericles», «gran sacerdote de la docta Minerva», y otras cosas más. A nadie parecía importarle que la educación común fuera una verdadera desgracia, y que los gastos en la cartera de Guerra y Marina fueran ocho o diez veces más abultados que los de Instrucción Pública.

La caída de Estrada Cabrera en 1920 fue liderada por el Partido Unionista Centroamericano. Pero esa alianza de sectores medios, estudiantes e intelectuales quedó rápidamente desplazada del poder y en 1921 el general Orellana, un lugarteniente del ex-dictador, tomó la presidencia.

Hubo, de todos modos, un cierto aflojamiento del poder oligárquico, sobre todo durante el mandato del general Lázaro Chacón, quien había sucedido a Orellana en 1926. La prosperidad económica de esos años permitió estabilizar la moneda, y cierta modernización institucional. Particularmente significativa fue la creación del Departamento Nacional del Trabajo, y la sanción de varias leyes de protección obrera, en respuesta al florecimiento de los sindicatos y asociaciones de trabajadores. La inquietud social se reflejó también en la aparición de nuevas agrupaciones políticas, como el Partido Cooperativista, el Partido Laborista y el Partido Comunista de Guatemala. La Universidad de San Carlos obtuvo la autonomía, y la Escuela Normal de Varones fue desde 1921 activo semillero de reflexión crítica y nuevas ideas. Pero el nuevo ambiente tuvo una interrupción drástica en 1930. La súbita muerte del general Chacón planteó el problema de la sucesión presidencial, en medio de la crisis económica mundial, y el general Manuel Orellana encabezó un golpe militar en diciembre de ese año. Pero falto del reconocimiento diplomático norteamericano, en aplicación de los Tratados de Washington de 1923, tuvo que convocar a elecciones en febrero de 1931. El general Jorge Ubico, triunfador en esa contienda, tenía una experiencia envidiable: había sido Jefe del Estado Mayor, Jefe Político de Retalhuleu y Alta Verapaz, diputado en varias ocasiones, y Ministro de Guerra del General Orellana. Gobernará con mano dura hasta 1944.

En cierto modo, Ubico reiteró el esquema de Estrada Cabrera con un toque más moderno y eficiente. Reorganizó la policía secreta y aterrorizó la oposición. Entre 1931 y 1934 las organizaciones obreras quedaron diezmadas, la Universidad sin autonomía y los disidentes silenciados. El programa de gobierno incluyó una notoria preocupación por la agricultura, generosas concesiones al capital extranjero, estabilidad financiera y un ambicioso plan de obras públicas. La construcción de caminos y edificios fue particularmente empeñosa, y contó a ratos con la dirección personal del propio Ubico.

El reclutamiento forzoso de trabajadores fue remozado, ahora bajo el expediente de la ley de Vialidad (2 semanas al año de trabajo obligatorio, conmutables por pago en dinero), y de severos decretos contra la vagancia. El trabajo obligado por deudas, típico en los peones rurales, fue suprimido en 1935, con lo cual los Jefes Políticos locales pasaron a tener un control mucho mayor sobre la mano de obra, sustituyendo en eso a los terratenientes. La centralización del poder se completó con el sistema de intendentes, nombrados directamente por el ejecutivo, que reemplazaron a los Alcaldes. Así las cosas, los «caciques» locales contaron cada vez menos, y el «jefe supremo» pudo ejercer un notable control sobre los diversos grupos de interés.

En 1941, el régimen de Ubico alcanzó su apogeo. Los diputados obedientes suplicaron al presidente que continuara en el cargo hasta 1949. La Guerra Mundial, empero, contribuyó a desgastar esa imagen de orden y eficiencia. Ubico no ocultaba su simpatía por Franco, y aunque se había plegado dócilmente a todas las demandas norteamericanas por la situación bélica, y había mantenido prudentemente distancia con respecto al Eje, la prensa internacional no dudaba en calificarlo de fascista. Hacia el fin de la guerra se había convertido en un interlocutor francamente incómodo.

En El Salvador, esa combinación de autoritarismo y paternalismo, hija directa del auge liberal de la década de 1870, imperó sin disputa entre 1898 y 1931. Inclusive miembros de una sola familia, los Meléndez-Quiñónez, ocuparon la presidencia desde 1913 hasta 1927. Pero el esquema hizo crisis durante la depresión de 1930. Una creciente organización sindical en las ciudades alcanzó también las zonas cafetaleras y la agitación social fue constante a finales de los años veinte. El desconcierto de la clase dominante, y también la prosperidad que antecedió a la gran crisis, permitieron el gobierno de Pío Romero Bosque (1927-1931), un conservador ilustrado que legalizó sindicatos y promulgó algunas leyes de regulación laboral. Aunque al final de su gobierno decretó persecuciones, permitió elecciones libres para su sucesión y garantizó la libertad de prensa. La elección efectuada en enero de 1931 dio el triunfo a Arturo Araujo, un terrateniente bonachón, educado en Londres y admirador sincero del laborismo inglés. Su victoria se debió al apoyo de diversos sectores sindicales e intelectuales, entre los que sobresalía la figura de Alberto Masferrer. Araujo gobernó apenas diez meses, en los cuales se acumularon los efectos, ya duros, de la crisis económica sobre las condiciones de vida de los trabajadores, con el horror de los terratenientes a sus ideas vagamente socializantes. Ineficacia administrativa y graves problemas fiscales, que incluían falta de pago a los funcionarios públicos civiles y militares, precipitaron la situación. El 2 de diciembre de 1931 se produjo el golpe, que colocó en la primera magistratura al general Maximiliano Hernández Martínez, vicepresidente y ministro de Guerra de Araujo. En enero de 1932 la insurrección social ganó El Salvador: indígenas y mestizos armados con machetes y palos se sublevaron en toda la zona cafetalera, mientras el gobierno detenía y fusilaba a los dirigentes del recién nacido Partido Comunista de El Salvador (fundado en 1925), encabezados por Farabundo Martí. La represión que siguió a la revuelta tuvo un saldo de víctimas estimado entre 10.000 y 30.000 muertos. Tanto ese alzamiento como la represión sucedánea marcaron profundamente toda la historia contemporánea de El Salvador. Los terratenientes renunciaron al ejercico del gobierno, delegándolo en los militares, y contribuyeron a la organización de un aparato estatal particularmente represivo. Las masas campesinas conocieron cuarenta años de oprobio silencioso.

Hernández Martínez compartió el estilo y los méritos de Ubico, con un programa político y económico parecido. Obras públicas e intervención estatal moderada (ley de Moratoria, creación del Banco Central, etc.), se conjugaron con un claro sentido corporativo. Esto es, favoreciendo cierto reordenamiento institucional en beneficio de las clases propietarias.

En Honduras y Nicaragua las estructuras del poder tuvieron trayectorias parecidas. Revoluciones liberales a medias y una fragmentación de intereses regionales agudizadas, en el primer caso por las acciones de las compañías bananeras y en el segundo por la ocupación norteamericana (1912-1933).

No hay vaivenes más complicados que la política hondureña desde la última década del siglo xix hasta 1933. Juguete fácil de la presión de los vecinos (Estrada Cabrera en Guatemala y Zelaya en Nicaragua), la debilidad estatal expresaba, en el fondo, la ausencia de una economía de exportación dinámica y de una verdadera clase dominante. Las compañías bananeras llenaron el primer vacío y agravaron el segundo. Los conflictos entre ellas, la competencia por concesiones de tierras, y el control del exiguo pero estratégico Ferrocarril Nacional de Honduras, se sumaron a intrigas políticas, ya de por sí complejas. De hecho, la estabilidad será la obra de un caudillo cortado a la imagen de Estrada Cabrera y Ubico: Tiburcio Carías Andino. «Doctor y General», gobernará con mano muy dura para los hondureños y guante blanco para las bananeras desde 1932 hasta 1948. Es posible que el principal secreto de la estabilidad autoritaria y paternalista de Carías resida en el fin de los conflictos entre la *United Fruit Co.* y la *Cuyamel Fruit Co.,* una vez fusionadas a fines de 1929.

La de Nicaragua es otra larga historia de turbulencias y conflictos políticos. El cariz internacional es también más evidente. La intervención norteamericana en 1912, para combatir un «régimen de barbarismo y corrupción», obtuvo de dóciles caudillos conservadores, democráticamente sacramentados con el recurso del fraude electoral, el tratado Bryan-Chamorro (1916): derecho a perpetuidad para construir un canal a través de Nicaragua, cesión por 99 años de las Islas del Maíz (en el Caribe) y derecho a una base naval en el Golfo de Fonseca. La defensa del canal de Panamá quedó así garantizada; y los Estados Unidos ejercieron un verdadero protectorado sobre el país: controlaron las rentas de aduana, los ferrocarriles y el Banco Nacional, mientras que los *marines* garantizaban la tranquilidad interna. Pero la reconstrucción fue efímera. Retiradas las tropas en 1925, la guerra civil recomenzó mientras los grupos liberales recibían armas del gobierno mejicano. Los infantes de marina retornaron en 1926 y esta vez debieron enfrentarse a una verdadera guerrilla popular. Un arreglo fue firmado en Tipitapa, en marzo de 1927, y el general Moncada, líder de los liberales, dejó la rebelión, asumiendo la presidencia en 1928.

Rechazando de plano la transacción con los ocupantes norteamericanos, César Augusto Sandino decidió continuar la guerra, y con éxito inesperado desde la región de Nueva Segovia mantuvo en jaque a los invasores durante varios años. Su causa, nacionalista y anti-imperialista, no sólo tuvo popularidad en Nicaragua. Recibió simpatías en toda Centroamérica y apoyo moderado del gobierno mejicano.

Moncada trató de poner fin a la presencia de los funcionarios norteamericanos en el país. La Guardia Nacional fue preparada por instructores yanquis para reemplazar a los infantes de marina. En 1932 lo hicieron con éxito y los Estados Unidos se comprometieron a abandonar el país. Se llegó a un acuerdo con los rebeldes sandinistas, que entregaron las armas, y en enero de 1934 todo parecía conducir a una paz duradera. Pero al mes siguiente Sandino y sus lugartenientes fueron vilmente asesinados por la Guardia Nacional, que ahora tenía un hombre fuerte: Anastasio Somoza García.

Somoza compartió muchos de los «méritos» de Carías Andino: mano dura y cierto paternalismo. Pero su poder, basado en la Guardia Nacional, fue pronto ampliado por la participación en diversas actividades económicas. Amigo incondicional de los Estados Unidos, manejó Nicaragua hasta su asesinato en 1956.

El caso de Costa Rica no puede ser más sorprendente en el contexto regional. Elecciones regulares con sufragio directo desde 1910, y una única interrupción constitucional: el golpe de 1917, que llevó al poder a Federico Tinoco. Pero su régimen duró apenas dos años, y en 1919 se volvió a los cánones institucionales anteriores. El movimiento sindical se desarrolló con relativa libertad, bajo una doble corriente de influencias: el pensamiento socialcristiano y las ideas socialistas. El Partido Reformista, liderado por Jorge Volio, tuvo una actuación particularmente destacada en la década de 1920, mientras que en los años treinta la agitación del proletariado bananero (huelga de 1934) reveló ser un terreno de acción más propicio para el movimiento comunista (el Partido Comunista de Costa Rica fue fundado en 1931 por Manuel Mora Valverde).

Estas presiones sociales se enmarcaron en un Estado dominado por un liberalismo pragmático, no totalmente ajeno a las corrientes reformistas. Así, por ejemplo, el presidente Ricardo Jiménez nacionalizó y estatizó los seguros en 1924 y no dudó en acudir a un intervencionismo gubernamental moderado durante la crisis del treinta (Reformas bancarias de 1936). En 1942 el presidente Calderón Guardia adoptó una legislación social que condensaba reivindicaciones del sindicalismo, el Partido Comunista y la Iglesia Católica. Esta coincidencia de intereses ilustra mejor que ningún otro ejemplo el «gradualismo» costarricense en una Centroamérica de sorprendentes contrastes.

4.3. *El cambio social*

Los rasgos generales de la estructura social generada por el desarrollo agroexportador se pueden enumerar con rapidez: 1) predominio y gran concentración de poder en favor de los terratenientes; 2) tendencia a la expropiación del campesinado indígena, imponiendo un ordenamiento de la propiedad territorial que las masas rurales jamás aceptaron como legítimo; 3) una elevada dosis de violencia exigida por el propio funcionamiento de las instituciones económicas y políticas; 4) fuerte polarización de clases, con debilidad estructural en los sectores medios emergentes.

La economía se diversificaba con mucha lentitud, y ello repercutía en una estructura social bloqueada, con escaso impulso de transformación. En otros términos, había escasas posibilidades para la movilidad social, en un contexto de atraso y pobreza generalizados.

Aunque sin desmentir el perfil general, algunos cambios institucionales comenzaron a complicar el tejido social. La profesionalización de los cuerpos militares fue uno de ellos. La primera escuela de oficiales fue creada en El Salvador en 1868, pero la Escuela Politécnica de Guatemala (1873) se constituyó pronto en un modelo famoso. La profesionalización quedó, de todos modos, limitada a la oficialidad; los soldados fueron reclutados entre el campesinado, y eran normalmente mal pagados; si tenían suerte, al final del período de conscripción habían aprendido a leer y escribir. A la par de los ejércitos regulares surgieron cuerpos policiales también profesionales y rigurosamente entrenados para la represión. La Guardia Nacional de El Salvador, organizada en 1912, según el modelo de la Guardia Civil española, y la Guardia Nacional de Nicaragua, hija directa de la ocupación norteamericana, constituyen los ejemplos más famosos.

En Honduras y en Costa Rica, el desarrollo militar siguió pautas diferentes. En el primer caso la profesionalización fue muy tardía (se inició en 1950). En el segundo nunca tuvo lugar. Después de la caída de Tinoco en 1919, el ejército entró en descrédito y decadencia; el proceso finalizó en 1949, con la abolición constitucional de las Fuerzas Armadas.

Aunque la principal función social de los ejércitos y fuerzas policiales ha sido siempre la represiva, no debe perderse de vista que, en el caso de los oficiales, la carrera militar ha sido también un canal importante de movilidad social. Ello adquiere más relevancia tratándose justamente de estructuras sociales extremadamente polarizadas, con escasos sectores medios emergentes.

La educación tuvo un rol de segundo orden. Los ambiciosos planes de educación común, típicos del período liberal, quedaron, con la excepción de Costa Rica, en el papel. La inmensa mayoría de la población rural siguió siendo iletrada. En los presupuestos estatales, los gastos en la cartera de «Instrucción Pública» fueron siempre bajos e invariablemente superados en dos o tres veces por los gastos militares. Las universidades tuvieron una existencia mediocre, confinadas a la formación de abogados y otras pocas profesiones liberales; pero bajo el impacto de la Reforma de Córdoba en 1918, y de la Revolución Mexicana, fueron semilleros de nuevas ideas y, en ocasiones, bases de oposición al régimen oligárquico.

Los sindicatos aparecieron con lentitud, en un ambiente hostil y represivo. Las primeras organizaciones agruparon zapateros, carpinteros, panaderos..., en una palabra, artesanos de diversos ramos en las zonas urbanas. Pero demostraron creciente actividad al finalizar la Primera Guerra Mundial. El fenómeno, común en los cinco países centroamericanos, presentó especial notoriedad en El Salvador. La «Federación Regional de Trabajadores de El Salvador» se formó en

1924, y celebró congresos anuales hasta 1931. Por otro lado, hubo delegados centroamericanos en el Congreso Sindical Latinoamericano celebrado en Montevideo en 1929, y fuertes conexiones con el Socorro Rojo Internacional con sede en Nueva York. La participación de activistas mexicanos fue identificada, no sin aprensión, por los diplomáticos norteamericanos, quienes la atribuían a un plan orquestado por la Tercera Internacional. Huelgas y conflictos laborales fueron también frecuentes en las zonas bananeras, al igual que en las minas de Honduras y Nicaragua. Toda esta primera fase de esfervescencia sindical culminó con dos hechos trascendentes al acercarse la depresión de los años treinta: la formación de partidos comunistas, adheridos a la Tercera Internacional, y, poco después, una oleada represiva que en Guatemala, Honduras, El Salvador y Nicaragua acabó con la mayoría de esas organizaciones o las confinó a una ilegalidad que no permitía actividades apreciables.

Los partidos políticos eran agrupaciones en las que predominaba el liderazgo personal, y con escasa plataforma ideológica. Típico de ello son, por ejemplo, las «diferencias» entre liberales y conservadores en Honduras y Nicaragua, dos partidos aparentemente más estables que las agrupaciones motivadas por la farsa electoral, corrientes en El Salvador y Guatemala. Aun en Costa Rica no hubo partidos activos de una definida base ideológica hasta la década de 1940. Aunque con muchas limitaciones, la política constituía también un canal de movilidad social. Ascensos selectivos mediante favoritismo, robo, despojo de enemigos políticos u otros mecanismos fueron frecuentes entre las clientelas de dictadores como Ubico, Carías, Estrada Cabrera o Somoza.

Utopías intelectuales y programas de acción se combinaron, a veces en sinceros esfuerzos por entender y modificar la realidad social centroamericana. El nicaragüense Salvador Mendieta (1882-1958) fue líder del Partido Unionista Centroamericano, organizado por los estudiantes guatemaltecos en 1899. Tenía ciega confianza en las virtudes de la Unión, y atribuyó una buena parte de las desgracias al separatismo. Su obra principal, *La enfermedad de Centro-América,* fue publicada en tres volúmenes, y completada en la década de 1930. En cuanto a estilo y método, su parentesco es próximo al positivismo del siglo XIX: primero, «descripción del sujeto y síntomas de la enfermedad», luego «diagnóstico» de la misma, y para concluir «terapéutica», esto es, el unionismo como principio básico, y cierto código moral.

Más original, y sobre todo más alejado de los cánones del liberalismo, es el pensamiento de Alberto Masferrer (1868-1932). Su doctrina del «Mínimum Vital» proponía un «límite para el que domina y atesora», y un mínimo de necesidades que el trabajador debe tener satisfechas (vivienda, justicia, salario adecuado, etc.). Con renunciamiento mutuo y amor al prójimo esos principios podían practicarse dando origen así a una nueva filosofía o religión, y el mismo Estado debía de preocuparse por ello.

Anti-imperialismo y reivindicación nacionalista son los rasgos esenciales del pensamiento de Sandino (1895-1934) y de Vicente Sáenz (1896-1963). El primero cobró vida en el curso de la acción guerrillera en Nicaragua, entre 1926 y 1934. El segundo fue fruto de una larga trayectoria en el campo del periodismo y la educación, iniciada en Costa Rica durante los años veinte y continuada en México a partir de 1941. Ambos autores comparten los mismos ideales latinoamericanos, el mismo fervor unionista, y un parecido desvelo por la suerte de las grandes mayorías de campesinos y obreros, sometidos al atraso, el desprecio y la opresión. Guardan distancia también con el comunismo de la Tercera Internacional, y Vicente Sáenz llega a pronunciarse por un socialismo reformista.

Volvamos ahora a una perspectiva global, pero haciendo una consideración por países.

En Guatemala la fuerte polarización de clases fue compensada por la ausencia relativa de expropiación de las comunidades indígenas del altiplano. Pero ese mismo hecho obligó a utilizar a los indios como trabajadores forzados y a cimentar una ideología del prejuicio (la inferioridad «racial» de los indios). El resultado fue una sociedad culturalmente dividida, congelada brutalmente en los pasos del pasado perdido.

El Salvador tuvo desde el comienzo una polarización de clases mayor y con menos mediaciones. Las razones de ello deben buscarse en la expropiación completa de las comunidades indígenas y ladinas, una población densa y concentrada, y un proceso de aculturación más avanzado ya desde la época colonial (la represión de la rebelión de 1932 acabó de unificar culturalmente al campesinado salvadoreño). Quizás por estas causas, la reacción al orden de los terratenientes fue en El Salvador más rápida, violenta y articulada que en cualquiera de los demás países. Observadores cuidadosos de la insurrección de 1932, los diplomáticos norteamericanos, no tardaron en descubrir las «condiciones que permitieron el súbito surgimiento del así llamado comunismo». Y constataron, no sin aprensión, que «los trabajadores rurales eran miserablemente pagados y en muchas fincas soportaban condiciones de trabajo intolerables». Aún más, «se dice con frecuencia que para el propietario, un animal de granja vale mucho más que un trabajador; tal es la abundancia en la oferta de brazos».

Honduras abunda en violentos contrastes. En las plantaciones bananeras y en las zonas mineras se desarrolló un proletariado típico, esto es, una población asalariada ocupada en forma más o menos continua a lo largo del año. A finales de la década de 1920 trabajaban en las bananeras unos 22.000 obreros, de los cuales, alrededor del 80 por 100 lo hacían propiamente en las plantaciones. El resto laboraba en los muelles y en el ferrocarril. Al lado de estas cifras, el proletariado minero resulta casi insignificante: por la misma época el mineral de San Juancito (explotado por la *Rosario Mining Company*) registraba algo más de mil trabajadores, un número no muy distinto de lo enumerado a principios del siglo. La lucha sindical fue, en ambos sectores, temprana y experimentó un notorio florecimiento en los años 1920. Aunque fue drásticamente aplastada durante la dictadura de Carías, constituyó las bases para un desarrollo sindical que, a finales de la década de 1950, aparecía ya como el más avanzado de Centroamérica.

Fuerte y organizado en las plantaciones, el proletariado agrícola era, sin embargo, minoritario en el conjunto de la fragmentada economía hondureña. Los mencionados 22.000 trabajadores representan quizás un 10 por 100 en el total de la fuerza laboral masculina. Y el 90 por 100 restante correspondía, en su mayor parte, al campesinado más aislado y atrasado de toda Centroamérica.

En Nicaragua había menos diversidad de tonalidades, pero predominaba un campesinado igualmente fragmentado. Las haciendas ganaderas competían con el café, mientras que en la región de Nueva Segovia se producía un escuálido desarrollo minero. En ese reino de la diversidad, asolado por las guerras civiles, imperaba un paternalismo mucho más tradicional; su modificación es un hecho relativamente tardío, en el que intervienen el ascenso al poder de la familia Somoza y la rápida expansión de las exportaciones de algodón (en la década de 1950).

Costa Rica plantea realmente un enigma para resolver. ¿Cuáles son

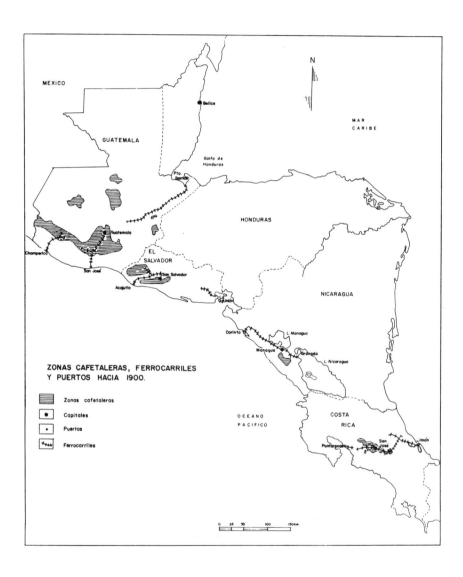

MAPA 11.—Las zonas cafetaleras son reducidas y concentradas en las tierras altas y los ricos suelos volcánicos. Ello facilita la conexión ferroviaria hacia los puertos del Pacífico y el Atlántico. La red ferroviaria quedará completa años después: en 1908 se unirán Guatemala y Puerto Barrios; en 1929 se completarán los ramales de conexión con el ferrocarril de El Salvador.

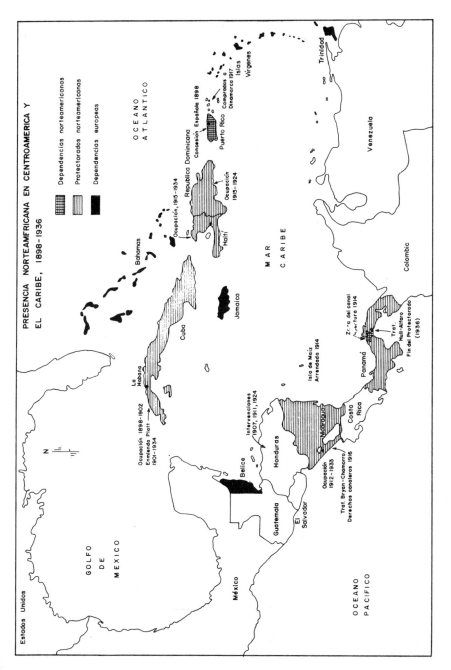

PRESENCIA NORTEAMERICANA EN CENTROAMERICA Y EL CARIBE, 1898-1936

Dependencias norteamericanas
Protectorados norteamericanos
Dependencias europeas

MAPA 12

las bases sociales de una constante democracia representativa y de un reformismo temprano y exitoso? El cultivo del café combinó la pequeña y mediana propiedad, con algunas haciendas grandes en manos de caficultores que controlaban el beneficio y la comercialización. La baja densidad demográfica al lado de un cultivo que exigía elevados insumos de mano de obra por unidad de superficie fue un factor estructural que impidió la concentración completa de la propiedad fundiaria y, en consecuencia, un rápido proceso de proletarización. Como se explicó antes, el reformismo temprano fue una posibilidad abierta por ese perfil social menos polarizado y por una clase dominante relativamente más débil, económicamente, que sus congéneres de Guatemala o El Salvador. Los sectores medios, articulados en el propio cultivo de exportación, proporcionaron, sin duda, la base social que permitió el funcionamiento democrático representativo y la ampliación progresiva de los mecanismos de participación política.

4.4. *El Gran Vecino y el Buen Garrote*

Los intereses estratégicos, y en particular la defensa del Canal de Panamá, han constituido un *leitmotiv* permanente de la política norteamericana hacia Centroamérica y el Caribe. Más aún, el incremento constante en las responsabilidades mundiales de los Estados Unidos, a lo largo de todo el siglo XX, ha sido paralelo a una también creciente obsesión por la seguridad de la zona. En torno a ese núcleo de intereses fundamentales se han tejido diversas tramas ideológicas, para justificar políticas y acciones. También en ellas se perciben elementos de una continuidad sorprendente, que se extienden incluso hasta los días de Kennedy, Carter y Reagan. Theodore Roosevelt, en lo que se llamó después el «Corolario Roosevelt» (1904) de la Doctrina Monroe, no dudó en apelar a una supuesta «misión civilizadora» de los Estados Unidos en el Hemisferio Occidental, toda vez que se presentaran «incidentes crónicos», o la manifiesta incapacidad de algunos gobiernos para comportarse con la buena educación requerida en el concierto internacional. En esos casos, la Doctrina Monroe (1823), bien resumida por la célebre frase: «América para los americanos», autorizaba el ejercicio, por parte de los Estados Unidos, de un papel de «policía internacional». Woodrow Wilson varió el acento, años después (1913-

1921), hacia un encendido moralismo, que hizo más difusa, pero no menos presente, la ya citada «misión civilizadora»; y la política del «Buen Vecino» de Franklin D. Roosevelt (1933-1945) tampoco fue ajena a esas raíces. Se trataba, al fin de cuentas, de conseguir por las buenas que los demás países pudieran compartir las maravillas del «logro americano», de extender generosamente a los demás las virtudes del propio progreso.

Se entiende así que en la política norteamericana hacia América Latina, y en particular hacia Centroamérica y el Caribe, se perciban muy pocas rupturas. La definición de políticas «nuevas» obedeció a la aparición de nuevos intereses, económicos y políticos, complementarios del núcleo principal señalado antes, o a cambios de percepción por parte del Departamento de Estado. Pero esas nuevas políticas nunca significaron un abandono definitivo de los recursos y procedimientos practicados con anterioridad. Conviene así hablar de «nuevos estilos», que buscaban enriquecer el trato, no muy variado, de los Estados Unidos con sus vecinos más cercanos, al sur del Río Grande. La omnipresente mezcla de desprecio, conmiseración y conciencia de superioridad, constituyó siempre un elemento ideológico demasiado poderoso, como para que pudiera manifestarse con fuerza cualquier otra intención.

Intervenciones militares directas, concesiones territoriales estratégicas y protectorados, se combinaron en la política del *Big Stick* (gran garrote), inaugurada por Theodore Roosevelt (1901-1909). La Enmienda Platt (1901), impuesta a la recién nacida República de Cuba, otorgaba a los Estados Unidos, entre otras ventajas, el derecho de intervención. La Independencia de Panamá en 1903 contó con un indispensable apoyo de la flota norteamericana, y fue seguida, dos semanas más tarde, por la firma de un tratado canalero (18 de noviembre de 1903) que otorgaba a Estados Unidos derechos territoriales en la zona de la futura vía interoceánica. Un año antes Inglaterra y Alemania habían bloqueado la costa de Venezuela en un gesto que parecía el preludio de una intervención mayor. Los motivos: el pago de una deuda externa cuantiosa por parte de un Estado corroído por las guerras civiles y la corrupción. Teddy Roosevelt medió, y en febrero de 1903 se logró un compromiso que puso fin al bloqueo. La lección sirvió para prevenir una situación parecida en la República Dominicana; en 1905 las aduanas de ese país pasaron a ser administradas por funcionarios norteamericanos, con la cercana protección de varios cruceros de guerra. Se perfilaba así una reorientación de las vinculaciones económicas y financieras de toda el área. El peso de los intereses norteamericanos crecía con rapidez, frente a un progresivo estancamiento de la participación británica, mientras que Washington y Londres se ponían de acuerdo para provocar un bloqueo pertinaz de la injerencia alemana. La inauguración del Canal de Panamá, en 1914, constituyó la piedra de toque de esa nueva situación, consagrando la presencia norteamericana en todos los ámbitos de la vida política y económica del área.

Los *Tratados de 1907* pretendieron poner fin, bajo la garantía conjunta de México y Estados Unidos a las frecuentes luchas entre los estados centroamericanos. Se creó una Corte de Justicia Centroamericana para arbitrar en los conflictos, y se adoptó el principio de no reconocimiento de los gobiernos que llegaran al poder por medios inconstitucionales (Doctrina Tovar). Se estipuló también la neutralidad de Honduras, el Estado más débil y por ende sometido a la continua injerencia de los vecinos, y se prohibió la acción de grupos revolucionarios en todos los países del área. Pero esta pieza diplomática, producto conjunto de los intereses de Teddy Roosevelt y Porfirio Díaz, fracasó con prontitud. Nada podía ser más utópico que la pretensión de consagrar el *status-quo* en un mundo turbulento y volátil como el centroamericano. Pronto se reveló que ni el principal garante (Estados Unidos), ni los países signatarios estaban dispuestos a cumplir seriamente con los principios de los Tratados. La primera manifestación de ello ocurrió con la caída de Zelaya de 1909.

El presidente Taft (1909-1913) introdujo una nueva y significativa variante. La acción diplomática y la intervención militar respaldaría el curso de las inversiones y la acción de los empresarios norteamericanos. Se configuró así la *diplomacia del dólar,* un complemento eficaz del *Big Stick* dada la rápida expansión de los capitales norteamericanos en las plantaciones bananeras, las minas y los ferrocarriles. El índice más significativo de la nueva situación fueron los arreglos de la deuda externa. En pocos años los banqueros de Nueva York reemplazaron a los tenedores de bonos europeos, y se convirtieron en los principales acreedores de los gobiernos centroamericanos. El control de las aduanas, una fuente segura de recursos fiscales, y la intervención militar en defensa de las propiedades y los ciudadanos norteamericanos amenazados, fueron desde entonces un recurso político de uso más que frecuente.

Nada de esto evitó las tormentas políticas, y el istmo experimentó una inestabilidad casi endémica. Pero el éxito fue indudable desde el punto de vista de los intereses norteamericanos: las bases arrendadas y el tratado Bryan-Chamorro garantizaron suficientemente la seguridad del Canal, mientras que las compañías norteamericanas lograron ventajas y concesiones de magnánima generosidad.

Los Pactos de Washington, suscritos en 1923 por las cinco repúblicas centroamericanas y los Estados Unidos reiteraban, en lo esencial, las disposiciones de 1907. Su alcance práctico fue, empero, muy limitado. Si en los años 20 se observa una disminución en los conflictos interregionales, ello debe atribuirse a una mayor consolidación de los estados nacionales, y sobre todo a la continua presencia militar norteamericana en Nicaragua.

El cambio fue aparentemente muy drástico con la política del *Buen Vecino,* de Franklin D. Roosevelt. Se puso fin a los Protectorados, y la abrogación de los derechos de intervención en Cuba y Panamá pareció inaugurar un verdadero «Nuevo Trato». Pero la estabilidad política del área y el cese de las intervenciones fueron el resultado de una inequívoca ecuación de dictadores. Somoza, Ubico, Hernández Martínez y Carías, fueron, al igual que Trujillo y Batista, mejores garantes para la *Pax Americana* que los propios infantes de marina.

La crisis de los años treinta y la Segunda Guerra Mundial impusieron una mayor cooperación en el campo económico. Tratados bilaterales de comercio, acuerdos sobre productos estratégicos, acceso privilegiado al mercado norteamericano, y una cooperación creciente entre el gobierno de Washington y sus congéneres centroamericanos se hicieron presentes. El acuerdo cafetalero firmado en 1940 y en el cual participaron todos los productores latinoamericanos, constituyó quizás el mejor ejemplo de la nueva situación. El sistema de cuotas garantizaba a los países centroamericanos la venta de su principal producto de exportación en el difícil momento del cierre de los mercados europeos.

Nadie puede dudar de la sinceridad en los planteamientos de Franklin D. Roosevelt frente a América Latina. No intervención, no interferencia y reciprocidad estuvieron por cierto presentes en las relaciones entre Estados Unidos y los países latinoamericanos durante la década de 1930 y el período de la Segunda Guerra Mundial. Y cuando algunos países afectaron con medidas nacionalistas los intereses económicos norteamericanos la reacción fue moderada y se mantuvo en los canales diplomáticos. Pero el *Buen Vecino* reposaba también sobre la espectativa de una cooperación sin muchas reticencias por parte de los gobiernos y los ejércitos latinoamericanos. La Segunda Guerra Mundial ofreció un primer momento de prueba, y la respuesta fue por cierto exitosa. La Guerra Fría fue el segundo, y allí recomenzaron los problemas. Guatemala en 1954 y la República Dominicana en 1965, para citar apenas dos ejemplos, vieron resucitar el *Big Stick* de los tiempos de Teddy Roosevelt. Ello probaba no sólo las continuidades de una política, sino también la sinceridad de más de una palabra.

Capítulo 5
Las desigualdades crecientes (1945-1980)

5.1. *El reformismo en perspectiva*

Al finalizar la Segunda Guerra Mundial pareció abrirse una nueva época. La caída de Ubico y de Hernández Martínez, en 1944, fue el primer signo de los tiempos nuevos. Los precios del café subieron considerablemente, y se mantuvieron así durante toda la década de 1950, lo cual aseguró una holgada prosperidad económica en el mundo de la posguerra.

El subdesarrollo y los problemas sociales cobraron nueva relevancia; a la luz del credo de las Naciones Unidas y de diversas misiones y organismos internacionales, se comenzó el diagnóstico de males bien conocidos y hubo propuestas que incluyeron una gama bastante variada de recetas y soluciones. Estas inquietudes encontraron una base social en las preocupaciones de los sectores medios, y en muchos casos contribuyeron a satisfacer genuinos intereses de los sectores obreros y el campesinado. Profesores y estudiantes universitarios, funcionarios públicos, algunas capas profesionales, pequeños comerciantes y artesanos urbanos, y ciertos oficiales de los ejércitos profesionales, coincidieron en diversos proyectos reformistas. El programa básico se puede resumir con facilidad. En el campo social, la lucha por la seguridad social, el derecho de sindicalización y la adopción de un código de trabajo. En el plano económico, las reivindicaciones incluían un cierto control estatal de los bancos y el crédito, planes de reforma o transformación agraria, y una política de diversificación económica. En lo político, se clamaba por el respeto a la constitución y el sufragio, y la vigencia de la democracia representativa. Ciertas reivindicaciones nacionalistas, como el control fiscal de las compañías bananeras, completaban ese cuadro programático.

El éxito o fracaso de los planes reformistas dependió fundamentalmente de tres factores. Primero, la capacidad de reacción de las clases dominantes, que tendieron a ver cualquier concesión como el principio de una cadena que terminaría en la revolución social, y que, en el ambiente propicio de la guerra fría, acudieron a la ideología anticomunista para cerrar filas y calificar de rojas aun las reformas más timoratas. Segundo la importancia de los sectores medios, sus posibiliades de expresión política y su capacidad de captar un apoyo social más amplio. Tercero, el contexto internacional, y en particular la política norteamericana, siempre dispuesta a sacrificar cualquier declaración de buenas intenciones en aras de la defensa de intereses estratégicos.

Lo más significativo, en una interpretación del auge reformista, es la distinción crucial entre las reformas como tales y su alcance efectivo. Las clases dominantes terminaron aceptando, luego de un período de luchas y conflictos, un conjunto de cambios como signos de los tiempos nuevos. Pero ello significó más una adopción formal que verdaderas modificaciones en las relaciones de clase. Así ocurrió con el frecuente incumplimiento de la legislación laboral, el funcionamiento del seguro social o el manejo clasista de los créditos bancarios. De todos modos, la existencia formal de leyes e instituciones, que respondían en gran parte a verdaderas necesidades e intereses populares, fue importante como bandera de lucha de sindicatos y partidos políticos, y contribuyó positivamente a la movilización política y las tomas de conciencia colectiva. En otros términos, para las clases desposeídas se abrió un espacio de reivindicaciones sociales y políticas que podía ser considerablemente ampliado, y que conducía ineluctablemente, a formas más avanzadas de la lucha social.

En suma, el auge reformista fue más importante por las fuerzas sociales que contribuyó a desatar, que por el legado de realizaciones efectivas.

Entre octubre de 1944 y junio de 1954 Guatemala vivió casi diez años de esperanzada efervescencia social. Juan José Arévalo, un educa-

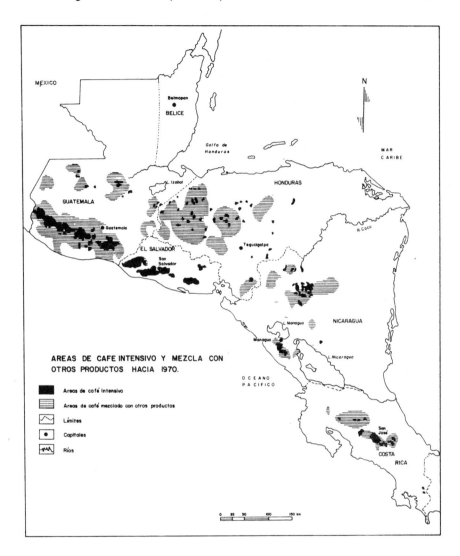

MAPA 13.—Después de la Segunda Guerra Mundial el café se expande y su cultivo se moderniza. Nicaragua es un productor mucho más importante que hacia 1900 y Honduras, sin los ricos suelos volcánicos de los vecinos, también logra incorporarse como exportador. Pero la dispersión del cultivo en ambos países, y sobre todo en el caso de Honduras, permite hacerse una idea de cuanto incidieron las dificultades de transporte en los frustrados intentos de consolidación del producto, en el último tercio del siglo XIX. La información básica fue extraída del Atlas de Nuhn y otros, citado en el Mapa 3, y del *Estado Mundial del Café,* publicado por la FAO en 1974.

dor y filósofo que predicaba un «socialismo espiritual», fue electo presidente en 1945 por un amplio frente político, logrando el 85 por 100 de los votos. Su gobierno estableció el Seguro Social (1946), fundó el Instituto Indigenista, desarrolló programas de salud, emitió el Código de Trabajo (1947) y creó una corporación gubernamental de desarrollo (1948). La nueva organización laboral y la proliferación de organizaciones sindicales provocaron choques con la *United Fruit Company* en 1948 y 1949. Y llenaron de intranquilidad a los terratenientes caficultores. Aunque la movilización de las comunidades indígenas fue escasa, la ley agraria de 1949 permitió el acceso a la tierra a algunos campesinos desposeídos, gracias a que el gobierno disponía de las fincas expropiadas a los alemanes en el curso de la Segunda Guerra Mundial.

Arévalo tuvo que hacer frente a 25 conatos de golpe militar, y a una insidiosa campaña de prensa dentro y fuera de Guatemala. La escena política se oscureció todavía más después del misterioso asesinato del Jefe del Ejército, coronel Arana, en 1949. Conocido por sus ideas conservadoras y sospechoso para muchos de maquinaciones golpistas, con él perdieron los sectores conservadores el mejor candidato para las elecciones siguientes.

El coronel Jacobo Arbenz Guzmán sucedió a Arévalo en la presidencia en 1951. La situación interna tendió a polarizarse con una reacción más organizada por parte de los terratenientes y una presencia evidente de sindicalistas y dirigentes del recién organizado Partido Comunista de Guatemala (1949). Pero los conflictos sólo amenazaron la estabilidad del régimen cuando Arbenz promulgó una ley de Reforma Agraria, en junio de 1952, dirigida contra las grandes propiedades (de más de 90 hectáreas), y en especial las tierras ociosas. Pronto afectó los cuantiosos intereses de la *United Fruit Company,* producto en gran parte de jugosas concesiones obtenidas durante las dictaduras de Estrada Cabrera y Ubico.

La compañía argumentaba que las tierras en descanso (el 85 por 100 del total poseído por ella en 1953 estaba en esta situación), en el oeste de Guatemala, eran una salvaguardia contra plagas y enfermedades del banano. El gobierno, que seguía las recomendaciones de una misión del BIRF (banco antecesor del Banco Mundial), las consideraba vitales para un programa de fomento de la producción de alimentos básicos, y procedió a expropiarlas, de acuerdo con el valor fiscal declarado por la *United Fruit Company* (algo más de 600.000 dólares). La compañía sostuvo que el verdadero valor superaba los 15 millones de dólares y acudió al Gobierno de Washington. Se configuraron así las fuerzas de una lucha desigual e injusta. La propaganda norteamericana quiso hacer creer que Guatemala se estaba convirtiendo en un satélite soviético, y los clamores anti-imperialistas, dentro y fuera del país, respondieron con el tono y carácter esperados. El arzobispo de Guatemala llamó a la rebelión contra los «comunistas» en el mes de abril y Arbenz compró armas en Checoslovaquia. La CIA fue autorizada a organizar la operación «PBSUCCESS», que consistió en una invasión desde Honduras, encabezada por dos militares guatemaltecos exiliados, y una efectiva campaña propagandística que logró sembrar el desconcierto en la población y el gobierno.

Arbenz renunció a la presidencia el 27 de junio de 1954; el ejército optó por no resistir a la invasión, mientras que los sindicatos y algunos partidos políticos, si bien tenían una mayor voluntad de oposición, carecían de armas y organización adecuadas. La violencia sustituyó al juego político y el poder efectivo pasó entonces a manos militares.

El régimen guatemalteco posterior a 1954 resultó, en este sentido, arquetípico. El consabido predominio del ejecutivo facilitó la centralización del poder en los militares, mientras que la principal fuente de legitimación pasó a ser el acuerdo de las cámaras patronales, los partidos políticos permitidos, la Iglesia y el propio ejército. En estas condiciones, la participación política no podía ser sino muy restringida y con escasa movilización popular. La represión, selectiva, continua y despiadada, acabó siendo una parte consubstancial del mismo régimen, y la violencia política una regla del juego casi establecida.

La caída de Hernández Martínez en El Salvador abrió un breve paréntesis de expectativas cerrado en octubre de 1944, con el golpe de Osmín Aguirre, Jefe de Policía del dictador depuesto. La experiencia reformista de El Salvador —gradual y sin alcances efectivos— se inició en 1949, como resultado de un gobierno militar encabezado por el coronel Óscar Osorio. En la década de 1950 la bonanza económica provocada por los altos precios del café incentivó el desarrollo de algunos planes de salud, vivienda y seguridad social. Como era de esperarse, el acento de los programas de gobierno estuvo en la diversificación agrícola y la promoción industrial, con amplio respeto a la iniciativa privada y cuantiosas inversiones en obras de infraestructura. La persecución sindical continuó, y muy pocos de los frutos de la prosperidad

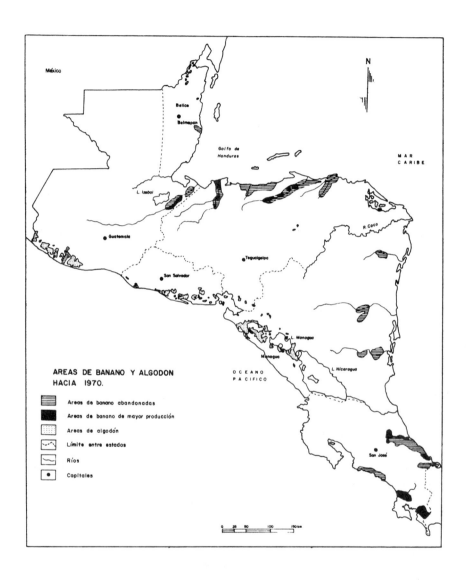

MAPA 14.—Puede verse la expansión de los cultivos de algodón en toda la costa del Pacífico. En el banano se incluyen tanto las áreas en producción como las abandonadas. Estas últimas corresponden a las zonas de la primera expansión de las plantaciones, entre finales del siglo XIX y la década de 1930. La información básica se tomó del Atlas de Nuhn y otros, *op. cit.*, y de West y Augelli, *op. cit.*, página 389.

beneficiaron a los sectores desposeídos. Políticamente, las ambiciones de Osorio parecen haber estado en la creación de un partido oficial según el modelo de PRI mexicano. Pero la escogencia de un candidato militar para las elecciones de 1956 reveló que seguían predominando concepciones más tradicionales. Y el régimen comenzó a parecerse, cada vez más, al de los vecinos guatemaltecos.

Carías se retiró del poder en 1948, y la casa presidencial en Tegucigalpa fue ocupada por un abogado de las compañías bananeras. El doctor Gálvez no fue el títere que todos esperaban y logró desarrollar un programa de modernización moderada para Honduras: creación del Banco Central, promoción de las exportaciones de café y cierta diversificación económica, mejoramiento de la red de caminos, etc. Al final de su período los obreros de la zona bananera entraron en huelga (1954), y Gálvez, comprometido en los planes norteamericanos de intervención en Guatemala, no se atrevió a usar la represión. El movimiento creció, logró un importante apoyo internacional y, finalmente, obtuvo ciertos triunfos de significación. El más importante de todos fue la legalización de las organizaciones sindicales, lo cual preparó el camino para la adopción de un código de trabajo en 1957.

Gálvez permitió elecciones libres en 1954, y Ramón Villeda Morales, líder del Partido Liberal, venció a Tiburcio Carías. Pero recién en 1957, luego de dos años de dictadura, y gracias a un golpe liderado por militares profesionales de reciente graduación, el resultado electoral fue respetado. Villeda Morales gobernó hasta 1963, con el apoyo de un frente amplio, que incluía a los sindicatos de la bananera y diversos sectores medios y populares. En cierta forma, aceleró el programa moderado de Gálvez; intentó atraer el capital extranjero, promovió las obras públicas y la seguridad social. En 1962 decretó una Reforma Agraria que coincidía plenamente con el espíritu de la Alianza para el Progreso: afectaba sólo tierras ociosas. En los hechos sería aplicada en gran parte para desalojar a los ocupantes ilegales de origen salvadoreño, instalados sobre todo en la zona fronteriza. Un golpe militar puso fin al gobierno de Villeda Morales en 1963. En un clima represivo, su programa reformista fue, con todo, continuado.

Anastasio Somoza García fue el único de los dictadores centroamericanos de los años treinta que sobrevivió a la posguerra. Con un fuerte control personal sobre la guardia nacional, supo aprovechar la expansión algodonera de las décadas de 1940 y 1950, y obtuvo considerables beneficios personales. También supo escuchar con atención a las diversas misiones y organismos internacionales y encontró magníficas oportunidades en el desarrollo de obras de infraestructura. En Nicaragua, más que la «voluntad» o el «interés general», el Estado coincidía cada vez más con los los intereses de la familia Somoza. Cuando Anastasio Somoza García fue baleado en 1956 —el propio Eisenhower envió su médico personal para cooperar en los infructuosos intentos por salvarle la vida—, la sucesión estaba asegurada por sus hijos: Luis, ungido presidente de inmediato, y Anastasio, Jefe de la Guardia Nacional.

Costa Rica era el único país en el cual un programa de reformas podía tener coherencia y condiciones políticas para durar. Buena parte de éstas fue garantizada durante la guerra civil de 1948. El pretexto para la rebelión —un intento gubernamental para no respetar el resultado de las elecciones efectuadas en febrero de ese año—, dice muy poco sobre los verdaderos alcances de esos meses fundamentales en la vida de la Costa Rica contemporánea. José Figueres Ferrer encabezaba un movimiento de inspiración social-demócrata, que en esos años compartía algunas de las ideas de Arévalo (el presidente guatemalteco no ahorró, en esa coyuntura decisiva, el apoyo a Figueres) y tenía cierta base popular. En mayo de 1948 una Junta, encabezada por Figueres, asumió el poder por 18 meses, con el compromiso de entregar después el Ejecutivo al vencedor de las elecciones de febrero de 1948. Ese año y medio bastó para consolidar un amplio programa de reformas, plasmado parcialmente en la nueva Constitución, promulgada en 1949. Lo más vistoso de ellas fue la supresión del Ejército (de hecho militarmente insignificante), la organización del Servicio Civil y de un tribunal de elecciones que garantizaría la pureza de los futuros comicios. Lo más significativo fue, sin duda, la nacionalización bancaria, la promoción del cooperativismo (con amplias posibilidades entre los pequeños y medianos propietarios rurales), la modernización de la educación y el apoyo a los programas de seguridad social, iniciados por Calderón Guardia en 1942.

El conjunto de estas medidas garantizó una redistribución del ingreso en favor de los sectores medios rurales y urbanos, hecho particularmente notorio durante la prosperidad de los precios del café en la década de 1950. Permitieron no sólo una redefinición del desarrollo económico y social de Costa Rica; proporcionaron también las bases para una continuidad en la vigencia de la democracia representativa y una ampliación de los mecanismos de participación política.

Al contrario de las apariencias, el corto episodio de la guerra civil de 1948, y la obra reformista de la Junta de Gobierno, que tuvo la suma del poder durante un año y medio, tuvieron poco que ver con una «revolución desde arriba». El compromiso político se impuso desde la finalización misma de la guerra civil y el programa de cambios tuvo que desarrollarse en una forma mucho más gradual de lo que tenían en mente los principales dirigentes social-demócratas. Ello fue evidente en 1949 cuando la Asamblea Constituyente que redactó la nueva Carta Magna optó por remozar la vieja Constitución liberal de 1871 en vez de aceptar el proyecto más nuevo y radical que proponían los diputados social-demócratas. Y quedó confirmado en 1950, cuando la Junta entregó el poder a Otilio Ulate, el paciente vencedor de las elecciones de febrero de 1948.

El afianzamiento reformista se produjo durante la primera presidencia constitucional de Figueres (1953-1958), y fue facilitada por un resonante triunfo electoral. Con el tiempo, las ideas reformistas acabaron impregnando todo el espectro político de la Costa Rica contemporánea, y las diferencias tendieron a definirse más sobre cuestiones de énfasis que sobre asuntos de principio.

Aunque las razones de fondo que explican este éxito gradual y continuo del reformismo deben buscarse —como ya fue argumentado—, en la existencia de sectores medios autónomos con una amplia capacidad de movilización social y política, no pueden dejar de mencionarse otros aspectos más circunstanciales pero no menos importantes.

José Figueres era un líder excepcional. Poseía un fuerte carisma personal a la par de una notable habilidad política, válida tanto en el plano interno como en la escena internacional, y era, además, un fervoroso creyente en los principios del reformismo y la democracia. El proyecto social-demócrata exhibía, por otra parte, una notable coherencia ideológica, debida sobre todo a la creatividad intelectual de Rodrigo Facio. No hubo copias ingenuas sino recreaciones, basadas en un minucioso conocimiento de la realidad costarricense.

Alianzas y oposiciones políticas jugaron también un papel fundamental. Las vicisitudes de la década de 1940 enfrentaron a Figueres y su grupo con el partido comunista. El conflicto se extendió durante la guerra civil y alcanzó proporciones extremas cuando la Junta de Gobierno exilió a los principales dirigentes opositores y practicó una amplia persecución sindical. Ese marcado sello anticomunista fue particularmente útil durante los años cincuenta, en el período más álgido de la guerra fría y el «macartismo», ya que limpió los planes reformistas de cualquier sospecha subversiva. El enfrentamiento con el partido comunista tuvo también otra consecuencia de alcance más duradero. En un país que había conocido la efervescencia sindical y el logro de ciertas reformas en las décadas de 1930 y 1940, el éxito de un programa reformista alternativo al ya ensayado implicaba recoger las mismas banderas, y llevarlas todavía más lejos. Figueres y su partido persiguieron este objetivo con éxito conspicuo y lograron trasladar el grueso de esas iniciativas al Estado y sus instituciones.

La democracia costarricense adquirió así una solidez manifiesta y el país gozó de una estabilidad política particularmente notable en el contexto latinoamericano. Los aspectos formales del régimen democrático fueron objeto de un perfeccionamiento creciente, mientras que el Estado asumió un papel cada vez más notorio en la articulación de intereses y conflictos de los más diversos sectores sociales. Aunque el peso de la iniciativa estatal en la redistribución del Producto Nacional desmotivó las protestas sociales autónomas, el funcionamiento del sistema implicó también una activa presencia de mecanismos informales. Subsistieron así esquemas tradicionales de paternalismo y clientelismo característicos de una sociedad campesina en proceso de modernización, que tuvieron la virtud de compensar ciertos efectos negativos del aparato legal o de la ineficiencia burocrática. Como la acción efectiva de estos mecanismos reposa en las personas más que en los cargos, la renovación parcial del personal político a través del sistema electoral, cada cuatro años, y la alternativa de partidos en el gobierno adquirió así una importancia fundamental. Se convirtió en requisito básico del equilibrio social.

5.2. *El cambio económico: La industrialización y el Mercado Común Centroamericano*

El auge económico de la posguerra incentivó la modernización y diversificación de los cultivos de exportación. El café recibió, como era de esperar, particular atención, y las mejoras técnicas, aunque no con-

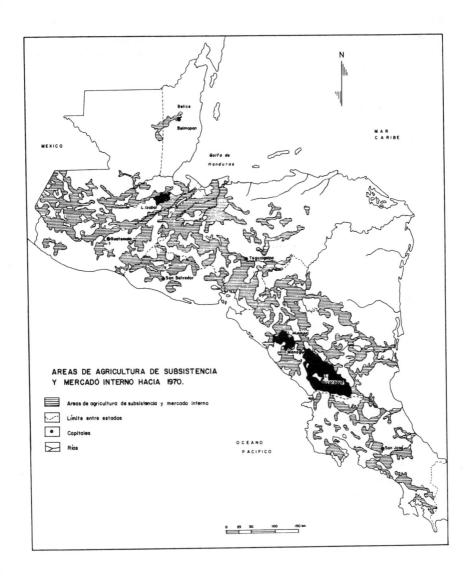

MAPA 15.—El mapa localiza las áreas destinadas a los cultivos de consumo interno, simplifi-
cando las estimaciones de Nuhn y otros, *op. cit.*, Mapa 3. Si se lee este mapa junto con el de
relieve (ver el Mapa 2), y los referidos a los cultivos de exportación (ver los Mapas 13 y 14), se
puede apreciar cómo la producción de alimentos básicos se sitúa en las zonas interiores, a
menudo más agrestes y aisladas.

dujeron a grandes ahorros de mano de obra, permitieron un alza sustancial en los rendimientos por hectárea. Las plantaciones bananeras cambiaron la especie *Gros Michel,* indefensa frente a diversas enfermedades, por la *Cavendish,* más resistente a las plagas, pero delicada para el transporte: ello obligó a efectuar la exportación en cajas, con lo cual se ahorró espacio y peso en el embarque y se aumentó el empleo. El algodón en los años cincuenta, la carne y el azúcar en la década siguiente, se agregaron a los rubros de exportación tradicionales. Ello permitió, después en 1959, compensar la caída de los precios del café, y el auge económico continuó en Centroamérica hasta la elevación de los precios del petróleo en 1973.

Todo esto modificó sensiblemente el paisaje agrario. A finales de la década de 1930 las plantaciones bananeras se extendieron a las tierras bajas del Pacífico en Guatemala (Tiquisate) y Costa Rica (Golfito). Años más tarde ocurrió lo propio con los cultivos de algodón en El Salvador y Nicaragua. Cuando la tradicional ganadería extensiva halló mercados rentables para la exportación en los Estados Unidos (carne para hamburguesas y diversas clases de embutidos), se produjo un nuevo avance colonizador en toda Centroamérica, precedido por la deforestación de extensas zonas de bosque tropical. La penetración llegó incluso a las tierras bajas del Atlántico y a las zonas más inaccesibles en los altiplanos centrales. Desde el punto de vista ecológico ocurrió así una reasignación de los recursos naturales: las nuevas actividades de exportación desplazaron los cultivos de granos básicos hacia otras zonas, por lo general más desfavorables, y redujeron considerablemente el bosque virgen tropical. En cierto modo, esto significó, en la década de 1970, el fin de la frontera desde la perspectiva de una expansión agrícola extensiva. Las consecuencias sociales de este proceso fueron visibles primero en El Salvador. Con poblaciones más densas desde antiguo y un territorio limitado a la faja del Pacífico, ya en la década de 1930 fue notoria la corriente migratoria hacia Honduras, país vecino y con extensas zonas sin colonizar próximas a la frontera. El incremento de los campesinos emigrantes en los años sesenta provocó serias fricciones entre los gobiernos de ambos países, que culminaron en la llamada «guerra del fútbol», que estalló en 1969.

Pero, sin duda, lo que más alteró la fisonomía económica y social de toda el área fue el proceso de industrialización que acompañó la creación del Mercado Común Centroamericano. El Tratado General firmado por Guatemala, Honduras, El Salvador, Nicaragua y Costa Rica en 1960 (Costa Rica ingresó formalmente al Mercomún en 1963), creó una zona de libre comercio, dio incentivos fiscales a las nuevas industrias y montó varios organismos regionales. A través del Banco Centroamericano de Integración Económica se canalizó una importante ayuda financiera de Estados Unidos para obras de infraestructura y se favoreció, sobre todo, la inversión privada directa.

Entre 1961 y 1969 el valor del comercio interregional se multiplicó por siete, lo que ilustra bien el éxito inicial del sistema. Al mismo tiempo, el crecimiento económico global revelaba tasas medias de incremento anual del Producto Interno Bruto próximas al 6 por 100. La CEPAL, al diseñar el Mercomún en los años siguientes, sugería la instalación de pocas industrias, de acuerdo con un plan regional, y tomando en cuenta los intereses y necesidades de cada país. Pero este principio fue abandonado por el Tratado de 1960, debido a las presiones del capital norteamericano, en favor de un esquema más liberal extendido prácticamente a todos los productos industriales. A fines de la década de 1960 ocurrió lo previsible. Las industrias estaban concentradas en los países con mayores densidades de población y donde podían pagarse salarios más bajos, esto es, Guatemala y El Salvador. Nicaragua y Costa Rica, luego de varias amenazas de abandono del Mercomún, lograron un *modus vivendi* que les permitió continuar con el desarrollo industrial, mientras que en Honduras, un país desintegrado y relativamente más atrasado, la situación llevó a una crisis de grandes proporciones.

Aunque la guerra entre El Salvador y Honduras que estalló en 1969 fue provocada principalmente por la cuestión de los inmigrantes salvadoreños, en las agrias recriminaciones que precedieron a la contienda aparecieron también los intereses de los industriales hondureños. Honduras se retiró oficialmente del Mercomún en 1971, y desde entonces ha firmado tratados bilaterales con algunos de sus vecinos.

En la década de 1970 fue ya evidente que la alternativa del Mercomún estaba en gran parte agotada. Las industrias sustituyeron la importación de bienes de consumo no duradero, pero aumentaron los insumos de materias primas y de bienes semiterminados, y después de 1973, estando de por medio la crisis económica internacional, la situación de las balanzas de pagos se tornó cada vez más crítica. En términos más sencillos puede decirse que la cuenta del desarrollo fue cada vez más difícil de pagar.

¿Cómo apreciar debidamente el impacto y las limitaciones de la industrialización en Centroamérica? Algunos índices comparativos pueden ayudar a ello. A finales de la década de 1970, es decir, entre 15 y 20 años después de iniciado el proceso, el 40 por 100 del incremento en el valor agregado por la industria se debía al sector de «alimentación, bebidas y tabaco». La industria química y el sector «metal-mecánico» contribuyeron con menos del 20 por 100, mientras que los textiles, una rama típica en la industria liviana, sólo tenía cierta importancia en Guatemala y El Salvador. Todo esto revela con claridad que la industria centroamericana poseía una estructura típica de un «proceso de sustitución de importaciones» apenas embrionario. Nótese, por ejemplo, que la Argentina mostró incrementos similares en el valor agregado de la industria en el período 1900-1929, mientras que entre 1925 y 1945 los textiles, los equipos de transpote y las maquinarias pasaron a ser los sectores industriales más dinámicos.

Otro rasgo característico de la industrialización centroamericana, en el contexto del Mercomún, ha sido el temprano «agotamiento» del proceso. Esto es, la crisis sobrevino en una fase apenas inicial, y eso se refleja en el creciente peso de las importaciones como porcentaje del Producto Interno Bruto. En 1980 dicha cifra oscilaba entre un 26 por 100 en Guatemala y 51 por 100 en Honduras. Nótese que en Brasil o Argentina, cuando ocurrió el primer «agotamiento» serio de la industrialización, en la década de 1960, el valor de las importaciones como porcentaje del Producto Interno Bruto giraba alrededor del 5 por 100.

Entre los efectos más negativos del proceso de industrialización en Centroamérica se cuenta el impacto sobre el empleo. El porcentaje de la población activa ocupado en la industria se mantuvo constante (alrededor de un 10 por 100) entre 1950 y 1972. Se estima que entre 1958 y 1972 la integración económica creó unos 150.000 empleos (directos e indirectos); ello representa un 3 por 100 del empleo total, y un 14 por 100 del aumento global en la fuerza de trabajo, en el conjunto de los cinco países centroamericanos.

¿Constituyeron el Mercomún y la industrialización la mejor opción económica para la Centroamérica de los años sesenta? Lo fue sin duda, para los empresarios locales y los inversionistas extranjeros. Y hay fuertes argumentos para justificar la integración económica desde el punto de vista del tamaño del mercado regional y la rentabilidad de las empresas. Pero el temprano «agotamiento» del proceso de industrialización, la incapacidad de pasar a una etapa más avanzada de «sustitución», visible a mediados de los años 1970, conduce al planteo de serias dudas. No por cierto sobre las bondades de la integración en sí misma, que son innegables. Pero sí sobre la dirección y modalidades asumidas por el proceso de industrialización. Un amargo informe de la SIECA (Secretaría Permanente del Tratado de Integración Económica Centroamericana), publicado en 1972, señalaba la necesidad de profundas transformaciones internas, sobre todo en el campo agrario, y el imperativo de una mayor planificación y coordinación entre los gobiernos para continuar con la expansión industrial.

Un examen general de los abundantes documentos producidos por organismos internacionales, y algunas estadísticas oficiales, conduce a la impresión de que los costos globales del proceso de industrialización han sido compartidos por la inmensa mayoría de la población centroamericana, mientras que los mejores beneficios han quedado concentrados en un grupo reducido de empresarios y sectores medios. Sólo en Costa Rica, debido a la intervención sistemática del Estado y la consistencia del proceso reformista, esos efectos fueron considerablemente atenuados. Eso sí, al precio de un notorio aumento en el gasto público, un creciente endeudamiento externo y un déficit cada vez mayor en la balanza comercial.

La urbanización experimentó cambios de consideración. Las capitales centroamericanas pasaron, en pocos años, de la modorra aldeana y la parsimonia provincial a las agitaciones de la urbe moderna. El aumento de la población marginal, la carencia de servicios y viviendas adecuadas, y una incidencia creciente de la criminalidad, se cuentan entre las muchas y variadas consecuencias del rápido crecimiento de las ciudades. Las poblaciones cercanas a las capitales quedaron poco a poco encerradas en el nuevo entorno urbano, dando paso a zonas metropolitanas tan extendidas como carentes de planificación. Pero unidas, en todo caso, por eslabones inconfundibles: aglomeraciones de población marginal y viviendas precarias, nuevas industrias o carreteras de reciente construcción.

La migración interna, producto tanto del rápido crecimiento de la población cuanto de los cambios en el paisaje agrario, alimentó con profusión el nuevo hábitat. Desde el punto de vista social, las consecuencias fueron, por cierto, trascendentes: nuevas actitudes y costumbres alteraron para siempre los patrones tradicionales de la vida rural. Políticamente, hubo también novedades de consideración. En el nuevo ambiente urbano, movilización y protesta adquirieron pronto una nueva y a menudo explosiva dimensión.

5.3. *Política y sociedad: La crisis del orden liberal*

Diversos signos, ya en la década de 1960, nos permiten hablar de una crisis del viejo orden liberal, implantado un siglo antes. Las protestas sociales resultaron cada vez más difíciles de contener, y el recurso, a una represión creciente fue la respuesta de las clases dominantes a presiones por el cambio social que incluían movimientos guerrilleros en Guatemala y Nicaragua. La delegación del poder político en los militares se tornó, cada vez más, un requisito de supervivencia para terratenientes y empresarios empecinados en ver cada reivindicación como parte de una conspiración, manejada no ya desde Moscú, sino desde La Habana de Fidel Castro. En realidad, esa «cercanía amenazante de la conspiración» no era más que una mistificación ideológica de una realidad innegable: las relaciones sociales de exclusión, generadas durante la Reforma Liberal del último cuarto del siglo XIX, estaban francamente agotadas.

La política norteamericana tuvo, en toda esa época, una dualidad pasmosa. La conciencia de los técnicos y de las misiones de estudio era inequívoca en cuanto a la necesidad de cambios y reformas estructurales. Pero la mano del Departamento de Estado fue siempre movida, en último término, por consideraciones de orden estratégico. Así se explican apoyos incondicionales, como el prestado a Somoza y a todos los regímenes represivos del área. En esa definición de intereses, caracterizada por una mezcla de ignorancia y desprecio en cuanto a las aspiraciones legítimas de amplias mayorías de la población centroamericana, tampoco estuvo ausente la voracidad de algunas compañías norteamericanas, prestamente escuchadas en los medios oficiales de Washington.

La Alianza para el Progreso, propuesta por la administración Kennedy en 1961, pretendió impulsar el crecimiento económico, ciertos cambios estructurales (sobre todo en el sector agrario), y la democratización política. Detrás de esas ambiciosas reformas se escondía en verdad un operativo de contrainsurgencia: se trataba de derrotar a la Revolución Cubana y a los movimientos guerrilleros que amenazaban multiplicarse donde hubiera terreno propicio para ello, con modernización y democracia efectiva. Pero esa gigantesca prueba de las virtudes del capitalismo sobre las amenazantes promesas del socialismo fracasó con prontitud. Las clases dominantes resistieron y sabotearon la mayoría de las reformas de contenido social y obtuvieron notorios beneficios en una asociación creciente con el capital norteamericano, que fluyó con generosidad en esos prósperos años sesenta. Los ejércitos y cuerpos policiales fueron rearmados y modernizados. La represión interna cobró así nueva eficacia y los éxitos en la lucha guerrillera fueron innegables. Hacia 1970 la subversión había sido suficientemente golpeada en Nicaragua y Guatemala como para no asustar demasiado, y lo que es más importante, parecía prevenida a tiempo en Honduras y El Salvador. Poco importó, en el contexto de la guerra de Vietnam, el que los objetivos de democracia política y participación popular, presentes en el sofisticado plan original, quedaran archivados para un futuro de mejor oportunidad. Finalmente, la conjura de la amenaza subversiva era un éxito de los militares y de las clases dominantes, a los cuales, por lo tanto, no era conveniente importunar.

La Iglesia, tradicionalmente uno de los pilares de la reacción, comenzó a tener acciones múltiples, variadas y a menudo contradictorias (como es típico en una organización corporativa). El primer ejemplo fue la actuación del obispo Sanabria en Costa Rica, en la década de 1940, muy importante en la adopción de las garantías sociales y el ámbito sindical. Otro, más reciente, proviene de diversos sectores de la Iglesia o vinculados a ella en El Salvador, Guatemala, Honduras y Nicaragua. El trabajo en las comunidades, la organización de cooperativas y diversas formas de asociación popular fue posible porque inicialmente eran acciones provenientes de una institución «libre de toda sospecha» ante los ojos de las fuerzas represivas, y que, en casi todos los casos, se emprendió como una alternativa a la «amenaza comunista». Los resultados fueron, por cierto, inesperados debido a la dinámica misma de esas organizaciones, enfrentadas muy pronto a la injusticia, la reacción y la violencia, y a los cambios profundos en la conducción de la Iglesia que ocurrieron después del Concilio Vaticano II.

Los militares también tendieron, en ciertas ocasiones, a asumir banderas de reforma sincera. Pero confinados a hacerlo dentro del

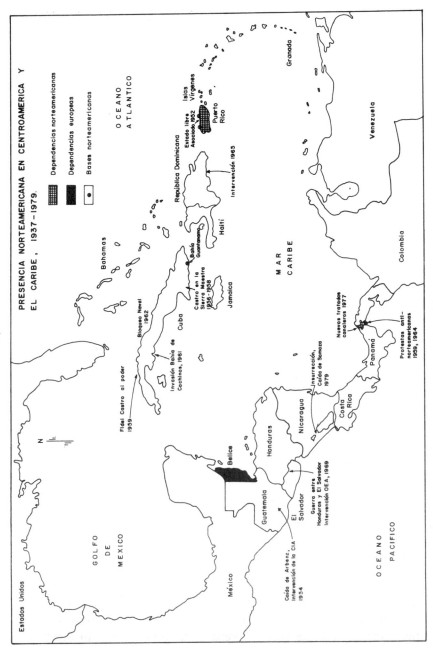

PRESENCIA NORTEAMERICANA EN CENTROAMERICA Y
EL CARIBE, 1937 - 1979.

Dependencias norteamericanas
Dependencias europeas
Bases norteamericanas

MAPA 16

poder estatal, su éxito fue menos considerable. En El Salvador, una nueva Junta cívico-militar de izquierda moderada intentó abrir una nueva alternativa en octubre de 1960, pero fue derrocada por los militares derechistas en enero de 1961. Otra sublevación efectuada en 1972 como protesta por la corrupción, la imposición del candidato presidencial dentro del partido oficial, y el fraude abierto en las elecciones de ese mismo año fue rápidamente sofocada con el concurso de la aviación guatemalteca. En Guatemala algunos militares disidentes tomaron el camino de la guerrilla, como ocurrió con Yon Sosa y Turcios Lima, a principios de los años sesenta. En Honduras, la fragmentación de la clase dominante permitió un espacio de acción más extendido. López Arellano encabezó un gobierno conservador y represivo entre 1963 y 1970. Pero al retomar el poder a fines de 1972 la presión de un grupo de oficiales jóvenes y progresistas se hizo sentir. Ello se tradujo en una reforma agraria que distribuyó tierras, organizó los campesinos en cooperativas y proporcionó facilidades crediticias. Aunque las medidas afectaron a tierras ociosas y pesaron poco en los intereses básicos de los terratenientes nacionales y las empresas extranjeras, aseguraron el abastecimiento interno de granos básicos. A finales de la década de 1970, debido a diferentes presiones, y a la corrupción y falta de unidad dentro del grupo militar, el proceso de reformas se detuvo.

La presencia de las Universidades y de los movimientos estudiantiles merece especial atención. La autonomía universitaria, un logro de la oleada reformista de la posguerra, convirtió las casas de estudios en un potencial semillero de oposición. Con la excepción de Costa Rica, las relaciones con los poderes públicos fueron obviamente difíciles, y las Universidades no escaparon a la intervención directa (El Salvador, 1972) o a la intervención selectiva y sanguinaria (Guatemala desde 1970). A pesar de todo, las Universidades y los movimientos estudiantiles gozaron a menudo de cierto margen de acción y en ocasiones lograron hacerse oír, asumiendo un papel particularmente activo. El rol más significativo de las Universidades ha sido, sin duda, la contribución al desarrollo de una conciencia crítica de los problemas nacionales en diversos cuadros dirigentes. Los movimientos estudiantiles, por su parte, han sido elementos claves en la solidaridad con protestas diversas, expresadas a través de manifestaciones callejeras, propaganda y otras formas de agitación. El mantenimiento de una efervescencia de oposición permanente ha sido, posiblemente, el rasgo más característico de las Universidades y los movimientos estudiantiles en Guatemala, Honduras, El Salvador y Nicaragua.

El papel transformador de los partidos políticos fue reducido, en un contexto de democracia limitada. Con la excepción de Costa Rica, los procesos electores nunca culminaron en la entrega del gobierno a la oposición, al menos sin serios condicionamientos. Golpes «preventivos» con el fin de evitar una elección o la entrega del poder al ganador; el fraude abierto; campañas electorales sumamente controladas, con escasa participación opositora; o un «pacto oligárquico» que suponía la entrega limitada y condicionada del gobierno, fueron los mecanismos típicos de la política centroamericana en el período que nos ocupa. Únicamente en las elecciones de Guatemala en 1944 y 1950, y en la elección hondureña de 1957, hubo una entrega del poder limpia y sin restricciones.

A pesar de todo eso, las campañas electorales abrieron un espacio de lucha política y de variadas manifestaciones de oposición. Ello fue sensiblemente favorecido por la Alianza para el Progreso y la aparición de algunos partidos políticos «modernos», es decir, separados del caudillismo tradicional y con cierta solidez en las bases ideológicas. Los partidos demócratas cristianos y socialdemócratas, o el remozamiento de algunos partidos tradicionales sobre nuevas bases (el caso más notorio fue el Partido Liberal de Honduras después de Villeda Morales), constituyeron en este punto una importante innovación. Estas nuevas fuerzas políticas, que gozaban también de algunos vínculos internacionales, dispusieron tanto de un marco de referencia más amplio cuanto de ciertas coberturas para la denuncia de los abusos, arbitrariedades y atrocidades, que caracterizaron, cada vez con mayor notoriedad, la vida política centroamericana.

Desde cualquier perspectiva que se la examine, la aparición de los movimientos guerrilleros constituyó una innovación particularmente significativa en el juego de las fuerzas políticas y las perspectivas del cambio social. Dos fases se delinean con cierta claridad. En la primera, durante los años sesenta, los brotes guerrilleros en Guatemala y Nicaragua fueron controlados exitosamente por la estrategia de contrainsurgencia inaugurada bajo los auspicios de la Alianza para el Progreso. Como era de esperar, el voluntarismo y las acciones heroicas no bastaron para implantar la insurrección en las masas rurales, y la reacción de las clases dominantes tendió a ser, en todos los países, cada vez más unificada. En esto último, organizaciones como CONDECA (Consejo de Defensa Centroamericana), producto de un pacto firmado por las Fuerzas Armadas de Guatemala, Honduras y Nicaragua en 1963 (El Salvador se incorporó en 1965 y Panamá en 1973; Costa Rica lo hizo en forma simbólica en 1966) pasaron a cumplir, bajo el asesoramiento militar norteamericano, un papel fundamental. Tampoco fue ajeno a ese proceso de unificación el rol desempeñado por Anastasio Somoza Debayle. La continuidad y aparente solidez de su poder político y militar en Nicaragua eran una especie de garantía frente a los vaivenes de la, a menudo volátil, política centroamericana. Y ello se hizo más evidente e imperativo una vez que la guerra entre Honduras y El Salvador en 1969 introdujo fricciones de abierto corte nacionalista; o que el gobierno militar de Torrijos en Panamá inició una lucha conti-nua por la soberanía panameña sobre el Canal (particularmente entre 1969 y 1977).

La segunda fase en la década de 1970 muestra un profundo cambio de carácter. La insurrección logra, en Nicaragua y El Salvador, una sólida implantación popular, mientras que en Guatemala el movimien-to guerrillero se extiende a las masas indígenas. La caída de Somoza, en julio de 1979, constituye el momento culminante de esa nueva etapa, seguido de cerca por el golpe militar de octubre del mismo año en El Salvador (una clara respuesta al creciente éxito de las fuerzas guerrille-ras). ¿Cómo se produjo esta nueva situación? ¿Cuáles son las bases de esta amplia movilización popular? Intentemos siquiera el esbozo de una respuesta.

Las diversas versiones del fracaso reformista impusieron, con una lógica implacable, una trágica y drástica simplificación sociopolítica. Una huelga, o simples reivindicaciones laborales, se convertían con asombrosa rapidez en una protesta social de repercusiones mucho más amplias. Nada podía lograrse sin el recurso a una importante moviliza-ción de variadas fuerzas sociales (Sindicatos, organizaciones estudianti-les, la Iglesia, etc.); y la represión —una respuesta habitual por parte del Estado y las clases dominantes— también afectaba a sectores mu-cho más amplios. En una palabra, la ausencia de institucionalización del conflicto social fue uno de los costos a pagar por el fracaso reformis-ta. Cualquier protesta, por tímida que fuera, cuestionaba el sistema, y era vista como parte de una conspiración subversiva. Esa interminable cadena de exclusiones, extendida, como no podía ser de otra manera, a la oposición política, tuvo, a la larga, otra consecuencia igualmente implacable: el cuestionamiento permanente del orden establecido por parte de fuerzas sociales tan amplias como variadas.

Es obvio, sin embargo, que la insurrección generalizada, con fuertes bases de implantación en las masas rurales, no obedeció únicamente a la escalada reaccionaria protagonizada por las clases dominantes. En El Salvador esto resulta particularmente evidente. Por una parte, existía allí un campesinado muy homogéneo desde el punto de vista cultural con un grado relativamente avanzado de proletarización, en un marco de densidades demográficas particularmente elevadas; y aunque los sectores obreros eran minoritarios, la población urbana marginal adquirió pronto una importancia numérica de consideración. Por otro lado, la guerra con Honduras, en 1969, cerró las puertas para la migración campesina más fácil, clausurando así una tradicional «válvula de escape» para los numerosos trabajadores rurales sin tierra y sin empleo. Otros factores, como la construcción de la presa hidroeléctrica de Cerrón Grande (inaugurada en 1977), provocaron nuevas expropiaciones y desplazamientos de vastos sectores de la población rural. En este contexto, el impacto de diversas organizaciones guerrilleras, que comenzaron a actuar como núcleos pequeños y aislados desde 1971, adquirió inusitadas dimensiones con una rapidez poco menos que fulminante. En rigor, las filas de la insurrección fueron incesantemente alimentadas por la misma represión, ejecutada por el ejército y diversos grupos paramilitares. Persecución y muerte se abatió sobre sacerdotes, estudiantes, políticos, dirigentes obreros y campesinos, en breve, todo sospechoso de conexión real o potencial con las organizaciones clandestinas. El golpe militar de 1979 fue un intento, claramente favorecido por los intereses norteamericanos y la administración Carter, para romper ese círculo infernal de represión, muerte e insurrección.

Nicaragua ofrece un ejemplo claramente distinto. El poder de la familia Somoza llegó a ser, sobre todo después del terremoto que destruyó Managua en 1972, tan extendido que amenazó seriamente los propios intereses de los empresarios locales. Nótese, por ejemplo, que en 1979 la familia Somoza poseía más de un tercio de todos los activos de la economía de Nicaragua. Ello, unido a circunstancias como el asesinato del líder opositor Pedro Joaquín Chamorro, permitió la eclosión de un verdadero frente de clases contra la dinastía, el cual dio nueva vigencia y nuevas bases sociales al Frente Sandinista, un movimiento insurreccional que databa de los años sesenta. Pero el éxito en 1979, de esa dramática lucha de la sociedad contra el Estado que costó más de 40.000 muertos, no puede entenderse sin recurrir también a factores internacionales. La vacilante política norteamericana durante el gobierno de Carter se encontró, de súbito, sin opciones y sin aliados entre un apoyo casi incondicional a la dinastía agonizante y la conciencia moral sobre la cuestión de los derechos humanos. El Frente Sandinista recibió un cuantioso apoyo de vecinos influyentes como México, Venezuela y Cuba, o estratégicamente situados, como Panamá y Costa Rica. Al igual que en el frente interno, la progresiva repulsa al régimen de Somoza permitió aglutinar una oposición tan eficaz como variada.

En Guatemala, el movimiento guerrillero fue prácticamente derrotado en 1970, luego de algunos éxitos espectaculares en las ciudades y un fracaso completo en los intentos de acción en las áreas rurales. Pero las guerrillas resurgen en 1975, mostrando esta vez una implantación notoria en el altiplano central y oriental. El recrudecimiento de las acciones en los años siguientes mostró un hecho inequívoco: las etnias indígenas estaban ahora movilizadas políticamente, y se habían constituido en una de las bases sociales de la insurrección. ¿Cómo ocurrió este cambio tan radical? Procesos de «desagregación» económica y cultural de las comunidades indígenas, sometidas a un creciente impacto de la expansión capitalista y el aumento demográfico, sumados a la acción de la Iglesia Católica y diversas sectas protestantes, parecen cubrir al menos algunos de los factores decisivos en ese rápido proceso de concienciación. No debe perderse de vista, sin embargo, que la diversidad de etnias, en un territorio particularmente extendido, con grandes diferencias regionales y serias barreras naturales de comunicación constituye también un serio obstáculo para cualquier eventual éxito de la insurrección.

Es verdad que en este panorama de crisis profunda Costa Rica mostraba signos muy diferentes. Los desafíos que se presentaron en los años setenta tuvieron como respuesta una profundización del proyecto reformista. La Seguridad Social fue extendida hasta el logro de una virtual universalización, y en el campo agrario un activo plan de asentamientos logró contener, en ciertas zonas del país, la presión creciente por la tierra. Quizás el paso más significativo fue una tentativa, financiada con el corto auge de los precios del café en 1976 y 1977, de promover un complejo de empresas industriales de propiedad mixta (estatal y privada). Pero la corrupción y la ineficiencia, junto con el cambio drástico de política estatal en el período 1978-1982, llevaron el proyecto a un rápido fracaso.

El triunfo de la insurrección popular en Nicaragua y su notable incremento en El Salvador, quizás constituye un *turning-point* en la historia del istmo. Significan, en todo caso, un replanteamiento sustancial de la influencia de los Estados Unidos en el área, que debe verse a la par de la presencia soviética en Cuba y de los nuevos tratados sobre la Zona del Canal, firmados con Panamá en 1977. La importancia estratégica del istmo resurge así, colocando los conflictos desatados en el contexto del enfrentamiento Este-Oeste. Algo muy obvio, por cierto, desde la perspectiva del ajedrez de la política internacional, pero extraordinariamente limitado e injusto si se presta sincera atención a las causas profundas de la rebelión.

Capítulo 6
La crisis presente (1980-1986)

6.1. *Visión de conjunto*

La crisis al orden del día. No hay mejor definición para caracterizar el primer lustro de los años ochenta. La palabra empapa las noticias de la prensa, acude infaltablemente a las conversaciones cotidianas y grita en las manifestaciones callejeras. Llena de miedo a muchos y sacude temprano la posibilidad de la inocencia. Pero, más allá de la psicología colectiva, ¿hay acaso dimensiones objetivas de la crisis?

El marasmo económico se inscribe, por cierto, en la ya larga recesión de la economía mundial; los signos son en todo caso, inequívocos [1]. Se observa un continuo decaimiento en el ritmo del crecimiento del Producto Interno Bruto, hasta que en 1982 los cinco países mostraron incluso tasas negativas. Medida por habitante, la situación parece todavía peor. Entre 1980 y 1984 el Productor *per capita* cayó en un 10 por 100 en Costa Rica y Nicaragua, en un 15 por 100 en Guatemala, y en más de 20 por 100 en Honduras y El Salvador. Iguales síntomas se observan en el persistente déficit en la cuenta corriente de las balanzas de pagos entre 1978 y 1983 (en 1983 los índices mostraron una dismi-

---

[1] Los comentarios que siguen se basan en cifras de la Cepal que llegan hasta 1983 y en las cifras de Víctor Bulmer-Thomas, «Cuentas Nacionales de Centroamérica desde 1920. Fuentes y métodos», *Anuario de Estudios Centroamericanos*, Universidad de Costa Rica, 12(1), 1986, pp. 81-96.

nución entre 30 y 40 por 100 con respecto al año 1977). El incremento en la deuda externa no fue menos violento, ya que ésta se multiplicó por cuatro entre 1977 y 1983. Inflación, desempleo y devaluación ilustran, desde otros ángulos, lo crítico de la situación. Las perspectivas a mediano plazo tampoco son halagüeñas. Ninguno de los países centroamericanos puede hacer frente a los pagos a que obliga la deuda externa sin una franca recuperación de la economía internacional, y en particular una elevación sustancial de los precios de las exportaciones.

El carácter de fenómeno común que tiene la crisis económica en los cinco países centromericanos hace sospechar una incidencia meramente agravante de las circunstancias políticas y sociales. Costa Rica y en menor medida Honduras, han gozado de una notoria estabilidad política e institucional, en comparación con los casos de Nicaragua, El Salvador y Guatemala, azotados por la guerra civil y la violencia. La crisis económica, sin embargo, no ahorra país alguno. Como, por otra parte, los trastornos de la economía mundial han ocurrido en un contexto interno de franco agotamiento del desarrollo industrial, en el marco de Mercado Común Centroamericano, la crisis del sector exportador ha precipitado, igual que en los viejos tiempos, una grave crisis económica general.

Los pedazos del Mercado Común tienen un significado mucho más profundo. No son sólo el resultado de la mala coyuntura externa, la consecuencia de errores en la gestión empresarial o de políticas de fomento equivocadas. Más que eso revelan el fracaso de un modelo de desarrollo, incapaz de romper los obstáculos estructurales al progreso social. Por esto, no es posible suponer que se saldrá de la crisis con una simple recuperación de la economía internacional. Superar la crisis implicará reorientar las opciones de desarrollo. Dos alternativas, no excluyentes, se perfilan con cierta claridad: 1) una drástica redefinición de la integración regional, con la inclusión de otros países ubicados en la cuenca del Caribe; 2) nuevas formas de vinculación con el mercado mundial, comprendiendo una importante diversificación de las exportaciones y la apertura de nuevos mercados.

En términos sociopolíticos todos esto significa, ni más ni menos, el agotamiento de un modelo de dominación social: el del orden político liberal impuesto hace un siglo. Pero esta formulación, de apariencia simple, oculta en realidad una extraordinaria complejidad.

La crisis política es, por una parte, un fenómeno interno, que sólo puede apreciarse debidamente haciendo un estudio detallado de la situación de cada país. Pero los cambios ocurridos, como la guerra civil en El Salvador y Guatemala, o la construcción de un nuevo orden en la Nicaragua Sandinista, han afectado también, y en forma profunda el *statu-quo* de las relaciones internacionales en toda el área.

El retroceso de la hegemonía norteamericana y la presencia activa de nuevos intereses, no sólo implican enfrentamientos y redefiniciones a escala regional. Los conflictos desatados han provocado incluso dos situaciones «límites»: la eventualidad de una intervención militar directa de los Estados Unidos (la invasión de la pequeña isla caribeña de Granada en octubre de 1983 podría verse apenas como un preludio de una operación de mucha mayor envergadura); y las serias amenazas de una guerra entre dos o más países centroamericanos. La tensión llegó a tal punto, que, en enero de 1983, Colombia, México, Venezuela y Panamá constituyeron el llamado «Grupo de Contadora», en un esfuerzo diplomático de pacificación. Aunque después de un largo y complicado proceso de negociaciones no se ha producido la firma de un tratado general de paz, debe reconocerse que se logró evitar lo que parecía una confrontación bélica inminente.

A partir de la caída de Somoza, y en particular desde el inicio de la administración Reagan en 1981, la política norteamericana se ha desarrollado en cuatro frentes distintos. En primer lugar, la instalacion de bases militares en Honduras ha convertido a dicho país en una pieza importante del dispositivo de defensa norteamericano; las continuas maniobras militares y el significativo arsenal bélico almacenado cumplen también un papel de intimidación sobre el gobierno sandinista. Más aún, se provee un apoyo a la retaguardia del ejército salvadoreño en su lucha contra la guerrilla, y un resguardo crucial para los «contras» que operan desde la frontera de Honduras contra el régimen de Managua. En segundo lugar, se ha proporcionado un apoyo financiero y logístico creciente a los grupos antisandinistas. En tercer lugar, hubo un corto episodio de negociaciones directas con el régimen de Managua (conversaciones de Manzanillo en 1984) y el apoyo (quizás apenas retórico) a ciertas formas de diálogo entre las fuerzas en pugna, como las iniciadas en El Salvador en octubre de 1984. En cuarto lugar, se ha ensayado un replanteamiento global de la política hacia los países de la América Central. Este es el tema fundamental de la «Iniciativa de la

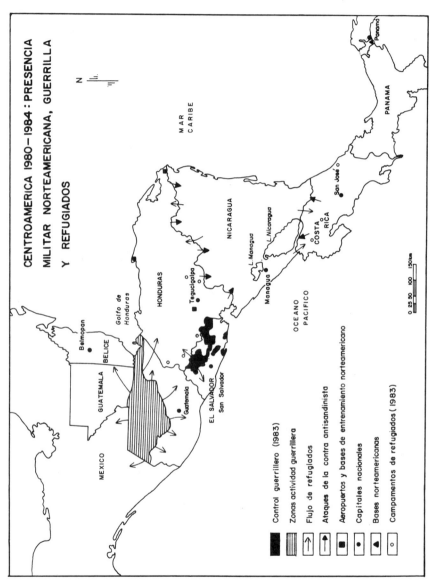

MAPA 17

Cuenca del Caribe», aprobada por el Congreso de los Estados Unidos en julio de 1983, y del «Informe Kissinger» de enero de 1984.

La primera es un conjunto de facilidades comerciales, que busca lograr una mayor integración de los países del área en el mercado norteamericano. El «Informe Kissinger», en cambio, tiene objetivos más ambiciosos. Se trata de un diagnóstico sobre la crítica situación en Centroamérica, de una evaluación de cómo todo esto afecta los intereses de los Estados Unidos, y de recomendaciones para elaborar una política global que cuente con amplio consenso en los medios políticos norteamericanos. Este último es quizás el objetivo más trascendente del «Informe».

La «Iniciativa de la Cuenca del Caribe» puede resumirse en pocas líneas. Casi cuatro mil productos provenientes del área (Centroamérica, Panamá, Belice, Surinam, Guayana y las islas del Caribe, con excepción de Cuba y las Antillas francesas) podrán ingresar en el mercado norteamericano libres de derechos, durante un período de doce años. Aunque los textiles, el calzado y artículos de cuero, el atún y el petróleo están excluidos de la lista, ésta es lo suficientemente extensa como para permitir, al menos en teoría, una pronta reactivación y diversificación de las exportaciones de toda la región. Pero un optimismo excesivo es poco realista. En economías nacionales de dimensiones reducidas y mercados fragmentados, con poca experiencia empresarial, carencia de mano de obra especializada y una burocracia estatal ineficiente, es utópico esperar una rápida respuesta positiva a dichos incentivos. En otros términos, parece muy difícil que los empresarios nacionales sean realmente capaces de afrontar un desafío semejante. Debe notarse, además, que hay muchos aspectos de incertidumbre, dentro de la propia «Iniciativa». Un país puede no ser «elegible», o dejar de serlo, por razones puramente políticas (por ejemplo, expropiación de bienes de ciudadanos estadounidenses o subsidios a la industria de exportación) de interpretación discrecional por parte del presidente de los Estados Unidos. Por otra parte, el lapso de doce años de vigencia de las facilidades de exportación parece demasiado breve, sobre todo teniendo en cuenta que proviene de un país tradicionalmente proteccionista.

Las empresas multinacionales serán, por todo lo apuntado, las principales beneficiarias de la «Iniciativa». Sólo ellas disponen de un amplio conocimiento del mercado norteamericano, de la capacidad tecnológica indispensable y de la influencia política necesaria como para contrarrestar las mencionadas incertidumbres. Esto no impedirá que algunos países y ciertos empresarios locales logren beneficios importantes del plan; pero es difícil pensar que pueda convertirse en una verdadera alternativa de desarrollo a largo plazo.

El «Informe Kissinger» parte de un diagnóstico de la crisis centroamericana que puede resumirse diciendo que la pobreza, la represión y las desigualdades tienen hondas raíces en la situación interna, pero que han sido utilizadas de forma perversa por una insurrección importada desde fuera del área (Cuba y la Unión Soviética). Esto último significa una seria amenaza para la seguridad de los Estados Unidos. Los remedios sugeridos son de dos tipos: una sustancial ayuda económica acompañada de ciertas reformas sociales y un importante plan de asistencia militar. El primer aspecto de la propuesta incluye una ayuda económica de ocho mil millones de dólares para un lapso de cinco años, a la par de un importante programa de becas y asistencia técnica. Aunque el monto propuesto es realmente significativo, debe notarse que también se sugiere la canalización de dichos fondos directamente hacia la esfera privada, sin que medie la intervención del gobierno del país beneficiario. Quizás se busque con eso evitar la corrupción —un mal recuerdo de la época de la Alianza para el Progreso—, pero ello implicará también un menosprecio del poder político nacional, cuyas consecuencias finales son difíciles de prever.

En el campo militar, el «Informe» ratifica la línea seguida por la administración Reagan: incremento de la ayuda militar a El Salvador y Honduras, cerco sobre Nicaragua y aprobación de las actividades desestabilizadoras del régimen de Managua, «contención» de la amenaza cubano-soviética en toda el área.

El carácter bipartidario de la comisión que elaboró el «Informe», al igual que su impecable retórica sobre la negociación, la ayuda y las injusticias, y la seguridad militar, le han asegurado una importante vigencia en el cometido de lograr un amplio consenso en los Estados Unidos para la política del Partido Republicano hacia Centroamérica. Esto fue visible en el Congreso norteamericano durante el año 1984, y se reflejó también en la brillante victoria electoral lograda por Reagan en noviembre del mismo año. En 1985 y 1986, luego de varios intentos infructuosos, la Administración Reagan también logró, por parte del Congreso, la aprobación de una ayuda económica sustancial para los «contras». Otros hechos, sin embargo, revelan que la construcción de una nueva política hacia la América Central carece todavía de consolidación, y manifiesta más de una incoherencia. Las ventas secretas de armas a Irán, y el uso de los fondos obtenidos en beneficio de los «contras», revelados en noviembre de 1986, reflejan no sólo un peligroso doble juego. Cuestionan también la credibilidad de una retórica, por no decir de toda una política. Y el triunfo del Partido Demócrata en las elecciones legislativas de 1986 augura también sino cambios globales, al menos ciertos replanteamientos en la política de los Estados Unidos en la América Central. Desde el punto de vista de los intereses norteamericanos el dilema abierto en 1979 sigue sin resolver: cómo enfrentar un régimen escasamente grato en Nicaragua, el peligro de un avance general de la insurrección en El Salvador (y eventualmente Guatemala), y la extensión real o potencial de la influencia cubana y soviética en toda el área, sin caer en los riegos de un nuevo Vietnam.

La crisis económica y las repercusiones internacionales de los cambios sociopolíticos afectan, con escasas distinciones, a toda la región centroamericana. Lo mismo ocurre con las incertidumbres y las esperanzas que se perfilan en el grave horizonte del futuro. Pero antes de escudriñar en ese tiempo por venir, conviene regresar al hervidero de la crisis, considerando esta vez las peculiaridades de la evolución de cada país.

6.2. *Las disparidades nacionales*

En marzo de 1982, el general Ríos Montt obtuvo el poder en Guatemala, utilizando el expediente clásico de un golpe militar. Ni lo cuidadosamente planeado de la acción, ni el visto bueno previo de la Embajada Norteamericana, ni tampoco el hecho de que el desplazado del poder fuera otro militar, eran, por cierto, novedades. La escalada represiva, las dificultades económicas y el abierto fraude en las elecciones presidenciales celebradas pocos días antes, habían sido suficiente abono para ahogar toda legitimidad a un régimen como el del general Romeo Lucas García, surgido de elecciones igualmente impuras en 1978. Pero el discurso de los golpistas sí tenía visos de originalidad. Ríos Montt denunció a los «escuadrones de la muerte» y prometió respetar los derechos humanos, como parte de su política de «fusiles y frijoles». Sin embargo, muy pronto fue evidente que el nuevo discurso ocultaba en realidad una también nueva estrategia de contrainsurgencia, en un intento de oxigenar viejas prácticas represivas, para hacer frente a la insurrección popular, implantada con firmeza en las áreas indígenas desde finales de los años setenta.

Los operativos militares continuaron con las matanzas en las comunidades indígenas (la primera, en Panzos, ocurrió en 1978; en 1981 se registraron por lo menos doce matanzas similares), y los traslados masivos y forzosos de la población. Los cuadros guerrilleros se retiraron con prontitud y los indígenas indefensos, sin armas y con poca experiencia de lucha, fueron presa fácil del exterminio. A ello se agregó el establecimiento de «aldeas estratégicas» y la formación de patrullas civiles, destinadas al control de los campesinos indígenas asentados en zonas «limpias» de amenaza guerrillera. El resultado ha sido un verdadero genocidio sobre diversas etnias y un inmenso flujo de refugiados (se calcula que llega al millón de personas), dentro del mismo país, y en las zonas fronterizas con México y Honduras.

En octubre de 1983 Ríos Montt fue destituido por otro golpe militar. Otra vez el cambio de la escena política tiene escaso significado. La pertenencia del general a un grupo fundamentalista protestante lo enfrentó rápidamente con la jerarquía de la Iglesia Católica, mientras que su reticencia a convocar elecciones le atrajo la desconfianza del Departamento de Estado; por otra parte, su constante referencia a un programa de reforma agraria para dotar de tierras a los campesinos reducidos en las aldeas estratégicas y sus imprecaciones contra la corrupción, aunque nunca pasaron más allá del discurso, no dejaron de atemorizar a los propietarios terratenientes y al sector más antiguo de los propios militares envueltos en la represión. El nuevo presidente, general Mejía Víctores, eliminó el estado de sitio, prometió restaurar la «democracia» y luchar contra el comunismo, en una estrecha alianza con el gobierno de Washington. Se volvía así a una política más tradicional. La celebración de elecciones para una Asamblea Constituyente en 1984 así lo confirma, y no deja de recordar lo sucedido en las situaciones igualmente críticas que precedieron las elecciones presidenciales de 1958 y 1966.

En ambos casos se entregó el Poder Ejecutivo a una oposición inofensiva, carente ya siquiera de toda voluntad reformista, y arrinconada por el marco legal provisto en las Constituciones de 1956 y 1965. El general Ydígoras Fuentes, triunfador en 1958, era un conservador de viejo estilo, que había hecho sus primeras armas bajo el ala protectora de Ubico. Logró combinar, no sin ingenio, dosis variables de corrupción, paternalismo y represión; pero ello no alcanzó, como podía preverse de antemano, para asegurar una estabilidad política duradera. La campaña electoral, en 1963, precipitó finalmente la situación. Ydígoras permitió el regreso de Arévalo, en medio de una creciente movilización popular, y un nuevo golpe militar no se hizo esperar. El viejo general fue sustituido por un coronel de línea más dura, y la historia se repitió de nuevo. Otra vez se convocó a una Asamblea Constituyente, y al final de una campaña política precedida por el terror y la represión, la oposición ganó las elecciones en 1966 y recibió la Primera Magistratura. Esta vez hubo un pacto secreto por el cual el presidente electo, Méndez Montenegro, quedó virtualmente convertido en un títere del poder militar.

La similitud de situaciones no deja de sorprender. Como en 1958 y 1966, el resultado, en 1985, fueron elecciones presidenciales bajo el marco de una nueva constitución, ganadas por la oposición, encarnada esta vez en la democracia cristiana. El nuevo presidente, Vinicio Cerezo, asumió el cargo en enero de 1986. Una buena imagen internacional, y no poca habilidad política le han asegurado, en los primeros meses de ejercicio del gobierno, cierto margen de maniobra frente a una situación económica y social particularmente difícil. Pero el poder militar sigue siendo decisivo, y se encuentra institucionalizado en la «Coordinadora Inter-institucional Nacional», establecida en cada departamento del país. Dichos consejos, presididos por el comandante militar e integrados también por las autoridades civiles constituyen la máxima autoridad política en cada región.

Es posible que el nuevo gobierno logre implementar un programa muy moderado de reformas, sobre todo si cuenta con una importante ayuda financiera internacional, y con el necesario apoyo de algunos grupos militares. Pero es difícil imaginar todo esto sin una movilización popular de cierta amplitud y una relativa vigencia de las libertades políticas. Y si ello ocurre, una espiral de violencia quizás más horrible que la de los años recientes, volverá a presentarse. Esa imagen de una sociedad «bloqueada», vuelve a leerse en la historia reciente de El Salvador.

Allí, la situación presenta contornos más nuevos y quizás más dramáticos. El golpe de 1979 fue producto de circunstancias internas y externas. Pero la «pièce de resistance» estuvo en el avance de la guerrilla y la insurrección popular. El triunfo sandinista, en julio de 1979, ofrecía grandes temores para unos y notorias esperanzas para otros, mientras que el régimen del general Romero mostraba una incapacidad que sólo tenía parangón en el generalizado repudio que su política represiva no cesaba de provocar. El golpe agrupó intereses heterogéneos, unidos por las circunstancias políticas más que por proyectos compartidos en el mediano o largo plazo. Un sector del ejército, algunos empresarios esclarecidos, grupos políticos demócratas cristianos y social demócratas, confluyeron así con la aprobación de la Iglesia Católica —respetada y lacerante crítica del régimen fenecido—, bajo la bendición estudiada de la Embajada Norteamericana.

La acción del nuevo gobierno se situó en tres frentes distintos: a) restaurar el imperio de la legalidad, depurando las filas de los cuerpos represivos y eliminando los grupos paramilitares; b) liberar o explicar la situación de los presos políticos y de centenares de desaparecidos; c) diseñar un atrevido plan de reformas, en respuesta a legítimas reivindicaciones populares, quitando vigencia de paso a banderas agitadas por varios de los grupos guerrilleros. En pocos meses fue claro, sin embargo, que los golpistas controlaban el gobierno, pero no todas las esferas del poder. Con fulminante rapidez las clases dominantes y un importante sector del ejército lograron orquestar una violenta oleada reaccionaria.

No hubo depuración en los cuerpos represivos, ni tampoco explicación sobre los desaparecidos. En enero y febrero de 1980 fue también obvio que los «escuadrones de la muerte» actuaban con toda libertad, cobrando incluso varias víctimas en funcionarios del propio gobierno. La nacionalización del comercio exterior y de la banca y la reforma agraria fueron decretadas, paradójicamente, a principios de marzo de 1980, en la cresta de una ola represiva que culminó el día 24, con el asesinato del Arzobispo de San Salvador, Monseñor Óscar Arnulfo Romero. Para entonces ya se había producido un realineamiento político significativo. Los social demócratas y ciertos grupos demócratas cristianos abandonaron el gobierno; en abril se aliaron con otras fuerzas políticas de izquierda para formar el FDR (Frente Democrático revolucionario), brazo político de las organizaciones de masas y las fuerzas guerrilleras. El partido Demócrata Cristiano, con una dirigencia considerablemente menguada, entró a formar parte del gobierno. Lo que sigue después tiene una lógica tan nítida como implacable.

La represión se abatió sobre las organizaciones populares en las áreas urbanas, eliminando toda forma de oposición política. Todos los dirigentes del FDR fueron secuestrados y asesinados en noviembre de 1980. Para entonces las fuerzas guerrilleras se habían replegado a las zonas rurales, formando un mando militar unificado (FMLN, Frente Farabundo Martí para la Liberación Nacional). El ejército contaba con una creciente asistencia militar norteamericana, mientras la Democracia Cristiana, desde el gobierno ensayaba la fórmula «reformas más represión». Pero el primer término de la ecuación resultó ser más problemático de lo previsto.

Las clases dominantes, se opusieron, con sangrienta tenacidad, a todo cambio. Los militares estuvieron dispuestos a favorecerlo a condición de lograr ventajas económicas en beneficio propio. Se tejió entonces una nueva cadena de corrupción, mientras que las reformas de mayor alcance social eran diestramente postergadas o sencillamente eliminadas. Ello fue particularmente evidente durante el período 1982-1984. En ese lapso, la Asamblea Constituyente (electa en marzo de 1982), dominada por los partidos políticos de la extrema derecha, saboteó deliberadamente las reformas, impidió la aplicación de la segunda etapa de la reforma agraria y puso en serios aprietos a la propia Democracia Cristiana. Y sólo la presión norteamericana impidió un retroceso mayor.

En estas condiciones, el impacto de las reformas no podía ser sino muy limitado. La nacionalizacion del comercio exterior y de la banca dieron nuevos e importantes resortes al gobierno; pero su alcance social dependía estrechamente de decisiones políticas, y aun cuando existiera esa voluntad, se vio limitado por la severidad de la crisis económica. De la reforma agraria, en cambio, podía esperarse un alcance más radical.

La primera etapa afectó las propiedades de más de quinientas hectáreas (15 por 100 de la tierra agrícola total), y supuso la expropiación y distribución de más de trescientas explotaciones. Se estima que el proceso pudo beneficiar a 178.000 trabajadores y sus familias. Los campesinos debían organizarse en cooperativas y disponían para ello de la asesoría y ayuda financiera del ISTA (Instituto Salvadoreño de Transformación Agraria). Pero la transferencia definitiva de la propiedad y el pleno funcionamiento de la cooperativa exigen tiempo y no pocas diligencias burocráticas. A finales de 1982, apenas una veintena de títulos habían sido adjudicados en forma definitiva. La segunda etapa, pendiente todavía de aplicación, afectará las propiedades de entre cien y quinientas hectáreas. La tercera se refiere a reclamos de títulos de propiedad por pequeños agricultores, aplicables hasta siete hectáreas de la tierra que cultivan. Aunque en 1982 se distribuyeron (en forma provisional) más de treinta mil títulos de esta clase, la aplicación de la legislación, y sus modificaciones por la Asamblea Constituyente, ha estado llena de trabas. David Browning estima que entre 60.000 y 150.000 campesinos podrían ser beneficiarios potenciales de esta tercera etapa. Pero como puntualiza el mismo autor: «la reforma agraria en forma aislada no puede satisfacer las necesidades de los que no tienen tierras». La segunda etapa (en suspenso hasta ahora) es de aplicación todavía más problemática. Afectaría a las empresas más rentables y tecnificadas y comprometería seriamente la estabilidad del sector exportador. Lo cual no dejaría de acarrear a corto y mediano plazo, consecuencias virtualmente catastróficas para el conjunto de la economía nacional.

Pero lo más negativo en la aplicación de la reforma ha sido, sin duda, el contexto político represivo. Pueden subrayarse dos aspectos diferentes. La reacción de la extrema derecha ha cobrado, desde la intimidación hasta el asesinato, un sinnúmero de víctimas, incluyendo asesores norteamericanos y altos personajes del ISTA. Los militares son, por otra parte, ejecutores asociados de la reforma, ya que poco o nada podría lograrse sin su apoyo directo. El precio de todo ello es no sólo una corrupción que ha sido ampliamente denunciada, sino el convertir la reforma en una pieza más de los operativos de contrainsurgencia. Y es muy dudoso que un pedazo de tierra, así recibido, en medio de una guerra fratricida, signifique una conquista democrática o un verdadero avance de la dignidad humana.

Tierra para todos no parece ser una alternativa muy realista, dado el balance de recursos disponibles en una economía como la de El Salvador, cualquiera sea el régimen social imperante. Un cambio realmente significativo, en beneficio de las grandes mayorías, debería incluir una expansión notable de las oportunidades de empleo, una elevación sustancial de los salarios reales, garantías sociales y laborales y un sistema de seguridad social eficiente.

Los reacomodos del gobierno que ocurren entre marzo de 1980 y junio de 1984 reflejan, con impecable claridad, la evolución y magnitud de las fuerzas políticas en pugna. A finales de 1980 salió de la Junta de Gobierno el coronel Majano, un decidido pero ingenuo reformista, presente desde la primera hora del golpe de octubre de 1979. Su caída, y el nombramiento del demócrata cristiano Napoleón Duarte como presidente provisional, revelaron tanto el poder de los militares de la vieja guardia (representados por el ministro de Defensa, general García) como la permanente influencia de la embajada norteamericana. En marzo de 1982 se efectuaron elecciones para una Asamblea Constituyente, la cual nombró un gobierno provisional. El resultado fue inesperado. La Democracia Cristiana logró sólo una mayoría relativa, lo cual implicó el control de la Asamblea por los partidos de la extrema derecha. En el gobierno provisional dichos partidos obtuvieron los ministerios de Economía, Agricultura y Comercio Exterior, puestos, por cierto, claves en la ejecución del programa de reformas. Duarte ganó las elecciones presidenciales en mayo de 1984, pero la coalición derechista siguió controlando el poder legislativo hasta 1985. El apoyo norteamericano resultó más indispensable que nunca para asegurarle la fidelidad de los mandos militares y el mantenimiento en el poder.

En el otro lado de la contienda se sitúan las fuerzas guerrilleras. Las organizaciones de masas, que habían surgido en forma semiclandestina entre 1972 y 1975, fueron diezmadas hasta su virtual desaparición entre marzo y noviembre de 1980. Manifestaciones, huelgas y ocupaciones fueron salvaje y eficazmente reprimidas. Como se dijo antes, las fuerzas guerrilleras se replegaron a las zonas rurales. Desde la llamada «ofensiva final», en enero de 1981, han demostrado una indudable capacidad militar. El ejército ha sido incapaz, a pesar de los cambios de mando y estrategia y del continuo aporte de material bélico por los Estados Unidos, de lograr un éxito total en las operaciones de contrainsurgencia. Pero, faltas de un apoyo masivo en las grandes ciudades y en un contexto internacional que restringe cada vez más simpatías y colaboraciones, las fuerzas guerrilleras tampoco han logrado sobrepasar el éxito de algunas operaciones espectaculares. Como lo revelan el asesinato y suicidio, ocurridos en Managua en 1983, de dos altos jefes del FMLN, el desaliento y las disensiones tampoco son ajenas a las filas de la insurrección.

Secuestros y ataques terroristas han vuelto a figurar en las acciones guerrilleras durante 1985 y 1986, mientras que el FDR ha perdido espacio político en el plano internacional. Ello refleja tanto la consolidación del régimen de Duarte como la reducción del poder ofensivo de la guerrilla. La ayuda norteamericana, que sobrepasó los 600 millones de dólares en 1985, ha jugado en todo ello un papel primordial. Sin el soporte político abierto de la Administración Reagan el gobierno democratacristiano hubiera tenido, si acaso, corta vida; y la contribución financiera ha resultado crucial para una economía en crisis, y un ejército que requiere continuamente nuevos pertrechos y adiestramiento. La consolidación tiene, de todos modos, un carácter precario. En las filas militares Duarte no goza de confianza plena, y para la comunidad de negocios sigue siendo un enemigo; a ello se suman huelgas y protestas sindicales ocurridas durante 1985 y 1986, y repetidas denuncias de corrupción en el gobierno.

El empate sigue caracterizando la lucha social. Tres fuerzas en pugna carecen por sí solas de la energía necesaria para triunfar. Las clases dominantes, agrupadas en los partidos de la extrema derecha (ARENA, en particular), rechazan de plano cualquier clase de concesión, y pretenden una completa vuelta al pasado. La Democracia Cristiana y un sector del ejército, con el claro apoyo de los Estados Unidos, pretenden combinar «reforma y represión», transformando la sociedad, pero derrotando la guerrilla y suprimiendo toda forma de movilización popular. El FDR y el FMLN abogan por un cambio mucho más radical, que no están en condiciones de imponer. A menos que se produzca una correlación drástica en la correlación de fuerzas, cualquier salida immediata del empate implica un acuerdo o alianza entre dos de las fuerzas en pugna. Una negociación en una mesa de tres parece fuera de las posibilidades a la vista.

En Nicaragua, los sandinistas intentan construir una nueva sociedad. En los años transcurridos desde la caída de Somoza y el triunfo de la revolución, éxitos, amenazas y dificultades, han sido compartidos por la inmensa mayoría de los nicaragüenses. Y allí también el futuro sigue dividiendo las voluntades.

La reconstrucción fue prioridad al otro día de la revolución. Muerte y devastación fueron reemplazados, en poco tiempo, por una economía en recuperación. En 1980-81 los índices eran, por cierto, favorables. La producción se alineaba en los niveles de 1977; la inversión global experimentaba un salto y el Producto Interno Bruto crecía con rapidez. Aunque la deuda externa (heredada en su mayor parte de la época de Somoza) era enorme y los términos del intercambio desfavorables, no parecía lejana una etapa de crecimiento sostenido. Pero la crisis política interna y el enfrentamiento con los Estados Unidos cambiaron el curso de las cosas.

La Administración Reagan adoptó, desde el inicio, una línea dura. En febrero de 1981 los sandinistas fueron denunciados como principales proveedores de armas de la guerrilla salvadoreña; en abril, considerando a Nicaragua como una amenaza para la paz del istmo, el gobierno de Washington suspende toda ayuda bilateral. En diciembre, el presidente Reagan autoriza 19 millones de dólares para financiar actividades contrarrevolucionarias en Nicaragua. Bases militares en Honduras y maniobras conjuntas que incluyen miles de soldados y poderosas fuerzas aéreas y navales completan las medidas de prevención, estableciendo un verdadero cerco intimidatorio sobre la frontera norte y las costas de Nicaragua. La acción directa quedó, sin embargo, reservada a los ex-guardias somocistas, acantonados en la frontera hondureña, y a otros grupos de oposición que operan esporádicamente desde Costa Rica. Sabotajes y saqueos se convierten así en un pesado tributo para la economía de Nicaragua. (El gobierno de Managua ha estimado su costo, en 1982, en un 8 por 100 del valor de las exportaciones en ese mismo año; en 1983 dicha cifra se elevó a un 32 por 100 del valor de las exportaciones.) El desgaste provocado por estas formas de agresión es, probablemente, mucho mayor que el ocasionado por las ofensivas de marzo y septiembre de 1983, y aun por acciones todavía más espectaculares, como el minado de los puertos y el ataque a depósitos de combustible en octubre del mismo año.

Aunque a nadie escapa la responsabilidad norteamericana en estas agresiones, sería ingenuo creer que se deben única y exclusivamente, a las intenciones perversas de la CIA o el Pentágono. Expresan también una profunda crisis política interna. El proyecto sandinista no cuenta ya con un consenso tan amplio como en 1979, en el alba de la revolución.

Los empresarios se retiraron de la Junta de Reconstrucción Nacional en abril de 1980, cuando el Frente Sandinista alteró la composición del Consejo de Estado (suerte de instancia legislativa). La separación se ha ahondado desde entonces. El COSEP (Consejo Superior de la Empresa Privada) y la jerarquía de la Iglesia Católica no cesan en sus críticas al régimen achacándole intenciones francamente totalitarias. Pero la vida política no puede ser fácil, en medio de las tensiones y amenazas externas que azotan a Nicaragua desde 1982. En consecuencia, es posible interpretar la censura de prensa, la suspensión de las garantías individuales y el notorio incremento del control político, tanto en el sentido de una respuesta natural del Estado ante las mencionadas amenazas, como del inicio de un régimen totalitario.

Los partidos políticos juegan un papel secundario en la confrontación de fuerzas planteada. El Frente Sandinista puede caracterizarse como un movimiento de masas, estructurado en gran parte durante la lucha contra Somoza, y fortalecido después gracias al uso privilegiado del poder estatal. En estas circunstancias, no es extraño que los cuadros militares desempeñaran un papel primordial y que la mayor parte de las bases ideológicas se hayan establecido después de la revolución. Aunque todo el espectro político, desde el conservadurismo más tradicional hasta la izquierda radical, es cubierto por una docena de partidos, ninguno de ellos cuenta con una organización, experiencia o repercusión popular que llamen la atención. Y no puede esperarse otra cosa después de los largos años de la dictadura de la familia Somoza. La reducida representatividad de los partidos políticos explica el porqué de la beligerancia política de organizaciones como el COSEP, el diario *La Prensa* (uno de los puntales de la oposición a Somoza), o la jerarquía de la Iglesia Católica. La ausencia de mediaciones en el conflicto ilustra también su naturaleza. No se trata de una oposición fácilmente dirimible en el campo electoral, porque están en pugna concepciones diferentes de la economía, la sociedad y el propio régimen político. En otros términos, lo que está planteado es una lucha por el poder, no por el gobierno.

La combatividad de la jerarquía eclesiástica ejemplifica con creces esa ausencia de codificación política del conflicto. Por su influencia ideológica y su capacidad organizativa, la Iglesia es la única institución que puede desafiar al Frente Sandinista en el ámbito de la movilización de masas. Pero ese reto la enfrenta también a la denominada «Iglesia Popular», que pretende corporizar una «opción por los pobres», participando en el crisol ideológico de la propia revolución.

El apoyo internacional, muy amplio en 1979 y 1980, se ha ido también restringiendo. La causalidad es doble. Por una parte, se trata del enfrentamiento abierto con los Estados Unidos, y los esfuerzos de la diplomacia de Washington tratando de lograr apoyo para su política centroamericana. Pero la creciente polarización interna, y en particular el enfrentamiento con la jerarquía de la Iglesia Católica y los empresarios, tampoco han dejado de contar en la imagen internacional de la nueva Nicaragua. A pesar de esto, la inmensa mayoría de los países del Tercer Mundo siguen viendo con mucha simpatía al régimen de Managua —producto de una revolución nacionalista y anti-imperialista—. La Internacional Socialista también sigue aprobando al gobierno sandinista, aunque varios de los partidos miembros han comenzado a manifestar su disconformidad.

El apoyo más decidido proviene de Cuba y el bloque socialista, y también de algunos países latinoamericanos. Los primeros han contribuido con asistencia técnica, donaciones, préstamos y acuerdos comerciales en condiciones favorables, armamento y asesoramiento militar. Los segundos, en particular México, Venezuela, Colombia y Panamá, han proporcionado un importante apoyo diplomático, cristalizado sobre todo en las gestiones del llamado Grupo de Contadora.

Pero, ¿cuál es la fisonomía de la nueva Nicaragua? En el campo económico se presentan dos imperativos: a) desarrollar nuevas formas de propiedad y de gestión empresarial, que constituyan una alternativa a la economía de mercado; b) asegurar el abastecimiento interno de productos de consumo básico. Los bienes expropiados a la familia Somoza y a sus allegados llegaron a constituir un sector de propiedad estatal denominado «área de propiedad del pueblo»; en 1982 dicho sector representó el 39 por 100 del Producto Interno Bruto. Debe notarse, sin embargo, que la propiedad estatal, las cooperativas y la pequeña producción son dominantes únicamente en la rama del comercio y servicios. Más de la mitad del sector agropecuario y de la industria manufacturera pertenece a las empresas privadas grandes y medianas. Desde el punto de vista estructural, puede hablarse en consecuencia, de una economía mixta. La situación de crisis, y en particular los crecientes enfrentamientos del Gobierno con el COSEP, han incidido en un notorio descenso de las inversiones privadas. Pero el régimen trata de ofrecer garantías a la propiedad privada, en especial en el sector agropecuario. En diciembre de 1983 un decreto garantizó la no expropiación de las fincas que estuvieran en producción, cualquiera que fuera su tamaño. El Gobierno ejerce un estricto control sobre el comercio exterior y promueve la participación organizada de los trabajadores en diversas esferas de decisión. Hasta el presente, la economía nicaragüense sigue las pautas de una economía de mercado. La planificación, tal como se la conoce en los países del bloque socialista, se encuentra si acaso, en un estado apenas embrionario.

La agresión económica y los cuantiosos gastos originados en las necesidades de defensa, explican las dificultades crecientes en el abastecimiento de alimentos y productos básicos. Pero deben señalarse también la especulación y el acaparamiento de los comerciantes y la incapacidad del propio gobierno en encontrar una solución al problema de la distribución equitativa.

La campaña de alfabetización y la mejora en los sistemas de salud deben contarse como éxitos del régimen. Han contribuido tanto en la mejora de las condiciones de vida, cuanto en la concientización y movilización masivas, en beneficio político del Frente Sandinista. El desempleo abierto y la ocupación disfrazada en el comercio y los servicios siguen siendo problemas sociales de gran envergadura, cuya solución está todavía por plantearse. Educación, participación popular y bienestar no son, sin embargo, objetivos fáciles de conquistar, en un país atrasado y subdesarrollado, como es el caso de Nicaragua. Máxime cuando se debe construir el futuro en medio de la agresión internacional y la guerra civil.

La revolución sandinista tiene tres fuentes ideológicas principales. En primer lugar, el sandinismo histórico, esto es, la herencia de las luchas de Sandino contra la invasión norteamericana (1927-1933). Su ideario político nacionalista y anti-imperialista se conjuga con la memoria popular de una figura casi mitológica. En segundo lugar, lo que podemos llamar un «socialismo tercermundista», representado sobre todo por la experiencia cubana, pero emparentado también con algunas revoluciones en África y Asia. En tercer lugar, el cristianismo de la «iglesia popular», fundamentado en la denominada «teología de la liberación». La simbiosis de estos tres elementos ideológicos ha sido facilitada por la virtual ausencia de liderazgo carismático en la conducción del Frente Sandinista. Esa coincidencia variada de ingredientes ha facilitado también la adhesión popular, con un mensaje directo pero enraizado en hondas tradiciones culturales. Héroes y mártires pueblan así una nueva memoria colectiva del pasado y se comienza a vivir una también nueva identidad nacional.

¿Será posible el desarrollo de una democracia participativa? No es fácil dar una respuesta sincera a esta pregunta crucial. Hay tendencias burocráticas y autoritarias, en el seno mismo del régimen, que no se pueden dejar de señalar. La estrecha identificación entre Frente Sandinista y Estado, el papel fundamental del ejército y la estructura de mandos militares (reforzada por las urgentes tareas de defensa), operan en ese sentido, al igual que la creciente influencia del modelo cubano. Y pueden abrigarse serias dudas sobre la posibilidad real de construir una democracia participativa careciéndose, como es el caso en Nicaragua, de una experiencia histórica importante en la vigencia de una democracia representativa.

Las fuerzas de oposición carecen de unidad. Los sandinistas arrepentidos han sido incapaces de ofrecer una alternativa entre el régimen actual y la restauración del somocismo. Y este último domina la guerrilla que opera en el norte de Nicaragua y la frontera hondureña. Después de las elecciones de noviembre de 1984 las perspectivas de pacificación parecen estar más lejos que nunca. El previsible triunfo del Frente Sandinista ha consolidado la continuidad del régimen, pero no ha ampliado su legitimidad. Las necesidades de defensa, por otra parte, han llevado al reclutamiento militar obligatorio, y a la organización de un ejército relativamente poderoso que cuenta con una respetable capacidad defensiva.

Durante 1985 y 1986 la Administración Reagan ha aumentado considerablemente las presiones, con un embargo económico y una importante ayuda financiera y militar a los «contras». Internamente, el régimen también se ha endurecido. El diario *La Prensa* fue clausurado en junio de 1986 y el enfrentamiento con la jerarquía de la Iglesia Católica ha crecido. Las penurias económicas, en un país que sigue azotado por la guerra y una inesperada sequía, se han agravado también. Y los campesinos desplazados por el enfrentamiento bélico en la frontera hondureña suman quizás los 250 mil. La nueva Constitución, aprobada en noviembre de 1986, reafirma los principios básicos establecidos en 1979: pluralismo político, economía mixta y no alineamiento ideológico. El futuro de Nicaragua, sin embargo, depende más que nunca de las posibilidades de concertación.

La geografía vuelve a dominar, en estos años, el futuro de Honduras. Se trata, otra vez, como en la segunda mitad del siglo XIX y principios del siglo XX, de ese punto neurálgico, decisivo estratégicamente, para lo que ocurra en Guatemala, El Salvador y Nicaragua.

El cambio comenzó a producirse en 1980, y los estrategas del Pentágono lograron, en poco tiempo, importantes concesiones sin mucho costo político. Se produjo así la instalación de bases norteamericanas, el reequipamiento del ejército hondureño y la realización de impresionantes maniobras militares. Las elecciones, celebradas en 1981, y el fin de nueve años de gobierno militar agregaron cierta legitimidad a la ya comprometida situación. Pero en los hechos, el poder siguió residiendo en el jefe de las Fuerzas Armadas más que en el propio presidente constitucional. Desde enero de 1982 hasta marzo de 1984 el general Gustavo Alvarez Martínez reinó con mano dura, imitando muy de cerca a sus congéneres guatemaltecos y salvadoreños. Fiel aliado de Washington, firmó acuerdos militares a espaldas de las autoridades constituidas, poniendo en serios aprietos al poder legislativo. Apoyó en forma decidida a los ex guardias somocistas, acantonados en la frontera de Nicaragua, y persiguió con severidad a los refugiados salvadoreños. Y el terror estatal también hizo su aparición: detenciones ilegales, torturas y desaparecidos atormentaron la política hondureña en esos años aciagos.

La caída de Alvarez Martínez en marzo de 1984 fue un acontecimiento de gran significación. Implicó el retroceso, quizás únicamente temporal, de los sectores militares más represivos. Las elecciones presidenciales de 1985, y el contexto político en que tuvieron lugar, pleno de clientelismo y personalismo, reflejan bien una institucionalidad tan precaria como la existente en el pasado. En esas condiciones, el espacio político de los militares seguirá teniendo también una anchura igual o mayor que antaño.

Costa Rica sigue siendo, en estos cinco años de crisis, la excepción en medio de la vorágine. No por que los trastornos económicos dejen de significar una dura prueba, sino también debido a una sorprendente estabilidad política, a un mínimo de debates en la opinión pública y a una extendida confianza en la capacidad del sistema para dar respuesta a la difícil situación.

Mucho más problemáticas han sido las relaciones con el régimen de Managua. La mayoría de la oposición no somocista se encuentra refugiada en el país y goza de no poca simpatía popular. Los medios de comunicación de masas señalan, con unanimidad incansable, los supuestos peligros que entraña el sandinismo, y no faltan tampoco los incidentes fronterizos. La diplomacia costarricense ha mostrado, sin embargo, ciertos matices frente al tradicional alineamiento con la política norteamericana. Costa Rica participó, junto con Honduras y El

Salvador, en la Comunidad Democrática Centroamericana, un intento infructuoso en 1982 por aislar al gobierno nicaragüense. Pero la proclama de neutralidad, emitida por el presidente Monge en 1983 constituyó una clara voluntad de no involucrar al país en los diversos conflictos regionales. El tema de la paz fue también dominante durante la campaña política que precedió a las elecciones presidenciales de 1986, y otorgó una importante ventaja al candidato ganador, Oscar Arias Sánchez.

La crisis económica ha deteriorado las condiciones de vida de la mayoría de la población. El problema de la vivienda y el acceso a la tierra (en ciertas zonas del país) parecen particularmente acuciantes. Salud, educación y empleo, en cambio, han resultado menos afectados. El costo de esto último —un persistente déficit en el sector público y la postergación de medidas muy drásticas aconsejadas por estrictos criterios de rentabilidad o por imposiciones de organismos de financiamiento internacional— parece mínimo si se considera que ha garantizado el mantenimiento de la paz social. Una cierta estabilidad económica perceptible desde 1984 se debe, en gran parte, a la asistencia financiera norteamericana, que ha fluido en forma relativamente generosa.

¿Cómo mantener las grandes conquistas en el desarrollo social y político, con una estructura económica que muestra graves signos de debilidad y que exige, por lo tanto, en un futuro más o menos inmediato, una considerable reorientación? Este es el desafío que deberá resolverse en la Costa Rica de los próximos años.

6.3. Un futuro de incertidumbre

La inseguridad sobre el futuro es quizás el mejor índice para apreciar la profundidad y repercusión de la crisis centroamericana.

Las alternativas económicas son inciertas para países tan pobres, extremadamente dependientes del mercado mundial y aquejados por infinitos problemas estructurales. La fragmentación y diversidad de las voluntades políticas dificulta también cualquier frente común ante los países desarrollados, y pone en entredicho la reconstrucción del Mercado Común Centroamericano. El aprovechamiento de las nuevas (y escasas) formas de vinculación al mercado mundial reforzará, probablemente, esa misma fragmentación de voluntades e intereses.

La orientación de la política norteamericana definirá no pocas situaciones en un futuro cercano, y es probable que se produzca una mayor ingerencia en el plano militar. Las dimensiones de la confrontación son, por cierto, impredecibles, lo mismo que sus resultados finales. Es un ajedrez de demasiadas piezas, en el que juegan también muchos contrincantes. La situación de Honduras ejemplifica muy bien este aventurado caminar en el filo de la navaja. Los ex guardias somocistas y los combatientes del FDN (Frente Democrático Nicaragüense) que operan en la zona fronteriza constituyen una fuerza militar considerable; aunque su capacidad ofensiva depende estrechamente de las armas y el financiamiento proporcionado por la CIA, sería ingenuo negar que, para el Estado hondureño constituyen una especie de «poder paralelo». El papel de las fuerzas norteamericanas cobra, en este contexto, un significado mucho más amplio que el de una simple «garantía» frente a una eventual agresión nicaragüense. Ello prueba, una vez más, que en la guerra difícilmente hay juegos inocentes.

El futuro político es igualmente incierto. 1984 y 1985 han sido años electorales; pero sería ingenuo creer que la celebración de elecciones en Guatemala, El Salvador, Nicaragua y Honduras significa un avance portentoso de la democracia. Violencia y exclusiones han limitado la libertad de elegir, y las presiones internacionales tampoco han sido ajenas a la realización misma de los actos electorales. Y es utópico pensar que de las reformas impuestas o de la revolución conquistada puede surgir, de inmediato, una sociedad más libre y democrática. Elección y participación exigen una experiencia histórica imposible de soslayar. La democracia nunca ha surgido de la miseria y de la desesperación.

La pacificación del área parece cobrar vida en 1987. El acta propuesta por el Grupo de Contadora en 1986 no se firmó, y durante todo ese año las posibilidades de acuerdos generales o parciales estuvieron más lejos que nunca. En 1987, sin embargo, todo cambió con rapidez. El 7 de agosto los presidentes centroamericanos suscribieron un acuerdo preliminar de paz propuesto por el primer mandatario de Costa Rica, doctor Oscar Arias Sánchez, que incluía los siguientes aspectos: amnistía, cese del fuego, impedir el uso del territorio para agredir a otras naciones, democratización y cese de ayuda a los movimientos de insurrección. El documento comprendía también un calendario y ciertos mecanismos para iniciar acciones concretas en cada una de esas

áreas básicas. Como la guerrilla salvadoreña había perdido para entonces una buena parte de su capacidad ofensiva, y estaba lejos de cualquier posibilidad de triunfo, la «contra» nicaragüense apareció como la
única fuerza que resultaba perdedora, en términos netos, con el citado
acuerdo. Simétricamente, el régimen sandinista veía reforzada su legitimidad.

¿Cómo fue posible, en pocos meses, un cambio, aparentemente tan
drástico? Lo primero es, sin duda, la crisis de la política exterior norteamericana que acompañó al escándalo «Irán-Contras» a finales de
1986. Lo segundo, factores que tienen que ver con la evolución política
centroamericana. En Nicaragua, la «contra» fracasa en sus intentos de
insurrección mientras que el país se debate en una crisis económica de
grandes proporciones; en El Salvador, la guerrilla pierde iniciativa y el
régimen del presidente Duarte se consolida, en términos relativos. Honduras no oculta una incomodidad creciente frente a las fuerzas irregula-
res de la «contra» asentadas en la frontera con Nicaragua, mientras que
los presidentes de Guatemala y Costa Rica optan por una política regional basada en el realismo y el deseo sincero de pacificación. Es posible
también, que en el fondo de todo, haya primado un sentimiento general
de cansancio y agotamiento, bien explicable después de casi diez años
de guerra civil, crisis económica y violencia generalizada. No puede
dejar de notarse, en todo caso, que durante el segundo semestre de
1987, la iniciativa política ha regresado a los propios centroamericanos.
En este contexto, no pueden dejar de destacarse, la originalidad, tenacidad y valentía de los esfuerzos del presidente de Costa Rica, coronados
por el Premio Nobel de la Paz de 1987.

Nadie puede saber, a estas alturas, si todo esto abrirá el camino para
una paz firme y duradera, o será apenas un interludio esperanzado
después del cual asomarán otra vez la guerra y la violencia. Pueden
señalarse, sin embargo, los requisitos más evidentes para que ese anhelo
pueda consolidarse. En el corto plazo todo parece residir en la creación
de un espacio de confianza para la negociación entre los contendientes
principales: la guerrilla y el Gobierno salvadoreño; el Frente Sandinista
y la Contra nicaragüense. Más allá de eso, el punto crucial se encuentra
sin embargo en cuánto están dispuestos a ceder; dicho en otros términos en cuál puede ser el alcance efectivo de las concesiones mutuas. En
el mediano y largo plazo la situación se torna más delicada. La democratización, el progreso social de la región y la posibilidad de reformas

efectivas dependen en mucho de la reconstrucción económica y de las perspectivas de la economía internacional. Dependen también de que no vayan a repetirse los procesos de «crecimiento empobrecedor» que ocurrieron en el pasado. El que ello suceda o no tendrá que ver con la dinámica de las fuerzas sociales y con lo que podríamos denominar una cierta capacidad de aprendizaje. Si algo positivo pudo tener la violenta crisis de estos años recientes es el enseñar a sus contendientes los límites reales de sus pretensiones, más allá de las cuales la convivencia social se torna imposible. Dicho en términos más breves, la paz sólo será duradera si origina fórmulas de convivencia más justas para todos.

Epílogo
Las condenas del pasado

I

Los fracasos de las clases dominantes cambian siempre el curso de la historia. Y es innegable que algo de eso sucede hoy en Centroamérica. Terratenientes y comerciantes fueron —excepción hecha de Costa Rica— incapaces de transformar el capitalismo agrario instaurado a fines del siglo XIX El progreso fracasó entonces bajo las ruedas de la miseria. No hubo dignidad para la inmensa mayoría de los de abajo, y un indio siguió valiendo menos que un caballo. Poco importa, en este sentido, que se los llame burgueses, oligarcas o aristócratas. El hecho fundamental es que sobre las ruinas del viejo paternalismo colonial no lograron crear nuevas relaciones de colaboración y de consenso. La dominación reposó así exclusivamente en la explotación, la violencia y el terror.

¿Miopía prematura o avidez desenfranada? Ambas cosas quizás. Las respuestas a la inevitable erosión del poder, en un mundo cambiante, obedecen, en todo caso, al mismo patrón. Al concluir su magnífico estudio sobre la crisis de la aristocracia inglesa en el siglo XVII, Lawrence Stone dice que cuando los nobles vieron amenazados sus privilegios sólo atinaron a responder con una «presuntuosa arrogancia», lo cual era un índice inequívoco de «inseguridad fundamental». *Mutatis mutandi,* lo mismo puede decirse en el caso que nos ocupa. Pero los pares ingleses intentaron justificar sus privilegios con evidencias del pasado: nobleza de estirpe o derechos anclados en la tradición y la memoria colectiva. En Centroamérica, la burguesía cuestionada jamás tuvo esos escrúpulos ni ese refinamiento racionalista. La histeria anticomunista ha sido suficiente escudo y justificación moral como para rechazar todo tipo de reivindicaciones y negar las más genuinas demandas populares.

Incapacidad de transformación social no es sinónimo de fracaso en el terreno económico. Lejos de ello, el crecimiento durante el siglo XIX no ha carecido de rasgos espectaculares, y la acumulación de fortunas ofrece pocas dudas. La rentabilidad de las empresas y la modernidad de la tecnología tampoco están en discusión. Eficiencia económica sin eficacia social; crecimiento sin distribución. Han existido, sin duda, rasgos estructurales conducentes a ello. Pero la falta de voluntad política o la precariedad cultural de la élite dirigente cumplen un papel no menos importante.

Posibilidades y límites pueden medirse bien estudiando el caso de Costa Rica. Viajando por el istmo en la década de 1940, William Krehm, un periodista de la revista *Time,* pensó que se trataba de «un feliz antojo de la naturaleza», una especie de «Shangri-La» en una región en que pululaban dictadores y militares corruptos. Cuando acabó de entrevistar al presidente Teodoro Picado, tuvo la sensación de haber estado con un médico rural, departiendo con sencillez en su cómodo despacho. Su asombro fue todavía mayor cuando conversó con Monseñor Sanabria, el arzobispo de Costa Rica que la prensa derechista de Centroamérica no cesaba en tildar de «comunista». Si William Krehm repitiera su visita en nuestros días, cuarenta años después, seguiría en las puertas del asombro. La mortalidad infantil ha descendido a un 19 por 1.000, la esperanza de vida al nacimiento es una de las más altas de América Latina, y el grado de control alcanzado sobre las enfermedades infecciosas supera todas las expectativas. Las elecciones y la vida política tienen poco que envidiar a la situación en Estados Unidos o los países de Europa Occidental. Y todo esto sucede en un país subdesarrollado, que se debate en una honda crisis económica, y que comparte, en no poca medida, los infortunios de la región. El inmenso valor comparativo de esta experiencia singular puede resumirse en dos puntos principales. Primero, muestra la *posibilidad* de la democracia política y la reforma social en los países del istmo centroamericano, más allá de cualquier «maldición» cultural o racial, o de cualquier «herencia nefasta» de la colonización española. Argumentos estos que pocos toman en serio, pero que se repiten con demasiada frecuencia. Segundo, demuestra los *límites* de transferencia de cualquier experiencia histórica. Democracia y reforma son el producto de una larga historia, que combina azar y necesidad, voluntades individuales y luchas colectivas. Las reformas se pueden imitar con rapidez, se puede incluso imponerlas, y no faltan, por cierto, los ejemplos históricos de «revoluciones desde arriba». Pero sería ilusorio esperar en todas las sociedades efectos políticos parecidos. La democracia es siempre el producto de una larga experiencia colectiva, que implica no sólo ciertas libertades, sino también cultura y educación políticas. La oportunidad, por otra parte, establece un límite cruel a la voluntad de reforma. Aunque el «momento oportuno» puede ser, en boca de los políticos, apenas una tautología, su significado histórico es, a menudo, primordial. Cambios sencillos, insignificantes a veces, han logrado evitar que todo estalle en pedazos; mientras que reformas muy radicales pero a destiempo han sido con frecuencia una magra solución al aplacamiento de los conflictos sociales.

Éxito y fracaso en la integración de las masas populares quedan bien ilustrados en la siguiente comparación. En agosto de 1934 las plantaciones bananeras de la costa atlántica de Costa Rica fueron sacudidas por una huelga de grandes proporciones. Los dirigentes del recién fundado Partido Comunista hicieron gala de una notable organización. En pocos días, más de diez mil trabajadores se pusieron en huelga. Hacia finales del mes el gobierno intervino, gestionando un acuerdo con los huelguistas. La *United Fruit Company* no asistió a las negociaciones, y en poco tiempo fue claro que no tenía intención alguna de cumplir con los acuerdos. La huelga volvió a estallar en septiembre, hubo algunos signos de violencia y la policía encarceló a los dirigentes comunistas del movimiento. Pero, poco después, al negociarse un nuevo contrato con la compañía bananera, el gobierno introdujo con fuerza de ley la mayoría de las reivindicaciones de los huelguistas.

El presidente Ricardo Jiménez, un liberal pragmático de vieja cepa, reconoció la justicia de los reclamos. En una entrevista periodística, a finales de ese mes de agosto de 1934, expresó que mientras los comunistas estuvieran en la legalidad, las ideas no podían combatirse con la fuerza, sino con otras ideas. Si los líderes comunistas representaban a la mayoría de los trabajadores, había que tratar con ellos, como ocurría en los Estados Unidos, en Inglaterra y en Francia. Como ciudadano amante de la justicia no podía negarse a oír lo que era justo y razonable en el clamor de los humildes. El presidente hacía notar que las leyes debían cambiar con los tiempos, y comentaba al respecto el derecho de huelga establecido por la legislación mexicana. En la época de Porfirio Díaz, sin embargo, la fuerza pública rompía las huelgas y atacaba a los trabajadores. Exactamente lo mismo que pedían algunos en Costa Rica, muy asustados por los sucesos en la zona atlántica.

En sus informes confidenciales, el agregado militar norteamericano consideraba a Ricardo Jiménez un liberal, muy parecido en sus ideas al presidente Roosevelt. Pero temía que su actitud desencadenara una oleada de huelgas y conflictos laborales por todo el país. La *United Fruit* hizo todo lo que pudo para oponerse a la demanda de los huelguistas. Quizás el resultado más positivo de esa huelga fue la institucionalización definitiva de la lucha sindical. Al aceptar la legitimidad y justicia de las reivindicaciones de los trabajadores, Ricardo Jiménez percibió con claridad que ello no implicaba un compromiso global con la ideología comunista. Corregir ciertas injusticias, dentro del propio sistema, prevenía más bien males mayores.

A finales de 1931 los trastornos políticos en El Salvador asumían no poca gravedad. El 2 de diciembre un golpe de Estado colocó en el poder al ministro de la Guerra, general Maximiliano Hernández Martínez. Los estragos de la crisis económica iban en aumento y la efervescencia social era constante. En las fincas de café, localizadas en zonas de densa población indígena, la situación era particularmente crítica. El recién fundado Partido Comunista de El Salvador desplegaba una intensa actividad política y sindical.

Malestar social y represión habían estado presentes durante todo el año, bajo el gobierno constitucional del presidente Arturo Araujo. Pero después del golpe las cosas empeoraron con rapidez. Se multiplicaron los conatos de huelga y los incidentes con las fuerzas represivas; la efervescencia popular crecía velozmente. El Partido Comunista participó, sin embargo, en las elecciones municipales y legislativas celebradas los días 3, 4 y 5, y 10, 11 y 12 de enero de 1932. El fraude fue tan notorio, que los propios partidos de derecha no dejaron de denunciarlo. Con candidatos inscritos y voto público no era, por cierto, difícil identificar a los dirigentes y simpatizantes comunistas. Ante la burla electoral, la inminencia de huelgas y otros incidentes laborales, y la amenaza represiva, los dirigentes del Partido Comunista intentaron entrevistarse con Hernández Martínez. La propuesta que llevan es muy simple: mejoras en las condiciones de trabajo, aumentos de salario, derecho de sindicalización en las zonas rurales. Los dirigentes parecían percibir que de otro modo no podrían evitar el estallido espontáneo de la ira popular. La reunión efectuada con el ministro de la Guerra —el general Martínez simuló un súbito dolor de muelas— no dio resultado alguno. Lo que siguió es de sobra conocido, y parece tener la predestinación ineluctable de las tragedias griegas. Los dirigentes comunistas saben que con insurrección o sin ella serán igualmente reprimidos, y tampoco podían detener la efervescencia popular. Se decide preparar la insurrección para el 16 de enero; hay cambios de fecha; en el interín, la policía apresa a los dirigentes. La insurrección estalla el 22 de enero en las zonas rurales. Poco antes ha fracasado un conato subversivo en los cuarteles de San Salvador. Centenares de campesinos, armados con machetes, palos y piedras se enfrentan a las fuerzas del gobierno. El miedo cunde en la capital, pero la situación es rápidamente controlada. Detenciones y fusilamientos cobran entre 20.000 y 30.000 víctimas. Un diplomático norteamericano anotaba el «coraje y sangre fría con que los pobres indios, incapaces, sin duda, de dar alguna idea coherente sobre lo que era el comunismo, enfrentaron la muerte. Las fotografías los muestran frente a los pelotones de fusilamiento con una expresión inescrutable, casi alegre. En innumerables casos, la gente no fue ejecutada a base de evidencia alguna sobre su comunismo, sino porque declararon a las fuerzas del gobierno que eran comunistas».

La cadena de acontecimientos no puede ser más clara: 1) lucha sindical que no conduce a resultados positivos; 2) lucha electoral burlada por el fraude y la represión; 3) intento de negociación con el gobierno, lo cual tampoco da resultado; 4) insurrección; 5) represión sanguinaria; 6) trauma del terror y oprobio silencioso de las masas durante más de cuarenta años. El camino seguido tiene un doble efecto. Hay, por una parte, una renuncia premeditada a cualquier forma de integración de las clases populares. Por otra, la clase dirigente no podrá ya distinguir entre las reivindicaciones y la amenaza de una insurrección revolucionaria. En el largo plazo, esta ceguera se convertirá en un progresivo factor de debilidad.

Estos comportamientos de la clase dominante definen un cierto patrón de evolución, que pesa decisivamente en el futuro de las sociedades centroamericanas. Quizás la situación actual de Costa Rica y Nicaragua es el espejo que refleja el destino posible de los otros países: una transformación gradual, que combina reforma social y democracia política, frente a una salida revolucionaria, conducente a alguna clase de «socialismo del Tercer Mundo». No parece probable que Guatemala, Honduras y El Salvador puedan transitar fácilmente por la primera vía. Podría argumentarse la posibilidad de salidas intermedias, o de una evolución muy lenta, pero conducente a un régimen político y social similar al de Costa Rica. Esto último es quizás más probable en el caso de Honduras y no es imposible en los otros países. Pero debemos decir que la experiencia histórica muestra, tanto en Guatemala como en El Salvador, el fracaso de esta vía intermedia. La caída de Arbenz en 1954, o el rápido estrangulamiento de las tímidas reformas emprendidas en El Salvador por el régimen del coronel Julio Rivera, entre 1961 y 1967, lo ejemplifican con suficiente elocuencia.

II

No cabe insistir más en la enorme importancia de los factores internacionales, y en especial el peso de la influencia de los Estados Unidos en el destino centroamericano. Después de 1979, todo esto ha cobrado una nueva dimensión. Los conflictos del área no sólo han agitado profundamente a la opinión pública norteamericana y europea. Las amenazas reales o fingidas a la seguridad nacional —para el caso es lo mismo—, han convertido a la región centroamericana en un componente esencial de la política exterior de los Estados Unidos. Se trata, dicho de otra manera, de una seria crisis de influencia, en una región de gran importancia estratégica, pero tradicionalmente olvidada y despreciada.

El curso de la política exterior de los Estados Unidos resulta, fuera de ciertos aspectos generales, imposible de prever. No tanto por eventuales cambios vinculados al partido gobernante, o por la variable personalidad de ciertos dirigentes, cuanto por la complejidad de la articulación de los diferentes intereses en juego. Quizás pueden indicarse algunas líneas de demarcación de dicha política. Primero, los intereses estratégicos, y la forma en que son percibidos, tienen un peso fundamental en cualquier decisión crítica. Segundo, la política referida a cuestiones de seguridad o asuntos de interés mundial nunca ha sido definido como algo exclusivamente pragmático o de aplicación localizada. George F. Kennan observó, con gran agudeza, que siempre ha existido una especie de «aversión congénita de los norteamericanos a tomar decisiones concretas sobre problemas concretos», lo cual se refleja en un «persistente deseo de buscar fórmulas o doctrinas universales para cubrir y justificar las acciones». Derrocar a Arbenz en 1954, o eliminar al régimen sandinista hoy, se justifican así en la necesidad de detener el comunismo y la supuesta ingerencia soviética, y se convierten en meros episodios de una heroica lucha entre buenos y malvados. Tercero, al colocar problemas tan localizados como los del área centroamericana en el contexto global de las relaciones Este-Oeste, se afectan también las relaciones entre Estados Unidos y sus aliados. Convencer a algunos países europeos o latinoamericanos de la legitimidad de los planteamientos de Washington ha sido más difícil y conflictivo de lo esperado. El mundo es hoy mucho menos bipolar que en la década de 1950, y la diversidad de intereses y aspiraciones predomina sobre las simplificaciones. Cuarto, después de la guerra de Vietnam y de los incidentes de Watergate, los escrúpulos de tipo moral han crecido en amplios sectores de la opinión pública y los *policy-makers* norteamericanos. Ello dificulta considerablemente cualquier decisión relativa a una intervención militar directa, con riesgos de convertirse en una aventura prolongada.

Un examen de las relaciones entre América Latina y los Estados Unidos en los últimos diez o quince años muestra tendencias novedosas. Se percibe un nuevo nacionalismo, con algunas muestras de solidaridad latinoamericana (renegociación de los tratados del Canal de Panamá en 1976 y 1977, caída de Somoza en 1979, guerra de las Malvinas en 1982), y una clara tendencia a presentar un frente común ante los Estados Unidos. Parece difícil, en estas circunstancias, una vuelta al pasado. Quizás ha comenzado a definirse un «nuevo trato», las bases de un nuevo orden en las relaciones entre los Estados Unidos y la América Latina. Aunque la palabra final está todavía en los años futuros, puede afirmarse con seguridad que en esa redefinición de viejas y amargas relaciones, los países latinoamericanos tendrán un papel mucho más activo e independiente que en el pasado. Es difícil negar que lo que pase en Centroamérica afectará, en forma decisiva, las ventajas recíprocas en el esbozo de ese nuevo orden.

III

Todos los interrogantes sobre el futuro tienen hondas raíces en el pasado. Pero algunas preguntas remiten con urgencia mayor a la lejanía del tiempo. La viabilidad económica y política de una Centroamérica fragmentada es una de ellas. Desde la crisis de la Federación Centroamericana, en la primera mitad del siglo XIX, hasta el fracaso del Mercado Común, en la segunda mitad del siglo XX, la utopía de la Unión se ha visto incansablemente reiterada. Y el futuro inmediato no permite abrigar mayores esperanzas. Pero el tema de la unidad —quizás sería más realista decir de la solidaridad entre los países— volverá a plantearse. Hay más de una razón para ello. El tamaño de los países, en sentido económico, exige formas de integración. La dimensión reducida de los Estados, en términos políticos, plantea problemas de seguridad virtualmente ausentes en el caso de países más grandes. El destino de unos pondrá en juego, con no poca rapidez, la suerte de los vecinos.

Que se siga planteando, por las razones más diversas el dilema de la unidad, significa también, en cierto modo, que la identidad nacional de los países centroamericanos no está todavía plenamente constituida. La vigencia de la cuestión indígena en Guatemala es un buen índice de ello; y se trata quizás de la herencia más dolorosa y traumática del pasado.

Un ejemplo, entre muchos, ilustra mejor que cualquier generalización o elucubración teórica, los alcances de este sometimiento brutal y despiadado. Albertina Saravia Enríquez lo presenta con dedicación en un libro conmovedor. Se trata del delito de Julián Tzul, un hecho criminal que ocurrió en una aldea del altiplano guatemalteco en noviembre de 1963.

El jefe de la policía local remitió al reo Julián Tzul al Tribunal de Primera Instancia con el siguiente parte:

«El día de ayer a las tres de la tarde, yo, como jefe de la policía, y dos agentes a mi mando, después de averiguar quién asesinó al anciano Juan Ajpop Tacam, establecimos que Julián Tzul Tajivoy, el día siete de noviembre, a las tres de la mañana, agredió con un palo al brujo en momentos en que éste se dedicaba a realizar actos de hechicería en contra de él, por lo que Tzul le descargó varios golpes en la cabeza y otras partes del cuerpo, dejándolo después sentado en una piedra. Luego se dirigió a su domicilio de donde salió y llegó a la casa de habitación de su vecino Mariano Ixcaquic Tzul a comunicarle que acababa de darle muerte al brujo preguntándole qué podía hacer. A lo que Ixcaquic le aconsejó que lo dejara allí. Que el palo con que cometió el hecho lo quemó y que todo lo hizo porque el señor Juan le estaba haciendo daño. Todo esto confesó voluntariamente Julián Tzul Tajivoy al ser interrogado por mí como jefe de la policía a cargo de la subestación.»

Durante el proceso, el abogado defensor logró probar los hechos siguientes: a) que Julián Tzul era conocido como persona honrada y de buen comportamiento; b) que Juan Aijpop Tacam era públicamente conocido como «brujo»; c) que en la aldea se creía que la muerte repentina de la mujer de Julián Tzul había sido originada por brujerías; ch) que el lugar del crimen era un adoratorio donde se realizaban prácticas de brujería. La defensa solicitó, además, la opinión de dos expertos antropólogos, quienes explicaron con lujo de detalles las creencias y usos entre los indígenas de la zona. De esas intervenciones quedó establecido tanto el pánico que genera en los indígenas el embrujamiento, cuanto la creencia en la fuerza de las oraciones pronunciadas en los altares o adoratorios.

En resumen, la defensa argumentó que por razones de tipo cultural, la conducta homicida de Julián Tzul se había producido en una situación de «miedo invencible», lo cual lo liberaba de culpabilidad. El abogado argumentaba en una parte de su alegato:

«Las leyes escritas y publicadas necesitan guatemaltecos alfabetizados para leerlas. ¿Cuántos analfabetos tiene la República?
Su deber, señor juez, es juzgar a un guatemalteco compatriota suyo y mío. Un guatemalteco que vive, piensa, razona, ama, reacciona y se divierte en un mundo completamente distinto y ajeno al nuestro. Que respira y vive bajo normas de conducta inspiradas en otros valores; que utiliza otros mecanismos para solucionar agravios; que tiene otro concepto sobre la autoridad y la ley, distinto al nuestro; que pasa su vida obedeciendo un derecho acostumbrado y no escrito, porque no sabe leer; que está regido por otra organización social.
Es un hecho notorio y evidente que los indígenas de Guatemala viven en un atraso mayor que el de nosotros los ladinos.»

La acusación, representada por el agente fiscal del Ministerio Público, pedía calificar el homicidio como alevoso y solicitó una condena a 20 años de prisión. Los argumentos se orientaban a rechazar la idea del «miedo invencible» y consideraban las opiniones de los expertos como muy generales e inaplicables al caso en cuestión. Además:

«El dictamen de los señores peritos, en cuanto establece que se produjo un miedo invencible que dio origen al enorme delito que se investiga, está en contradicción con la realidad pues, si puede aceptarse que los que se saben objeto de hechicerías pueden sufrir cierto temor, éste no puede llegar a ser invencible y producir delitos de sangre.

Si así fuera, todos los días tendríamos dentro de nuestras comunidades aborígenes un sinnúmero de agresiones, lesiones y homicidios, lo cual no sucede.

Si las cifras de esa clase de delitos fueran investigadas por sus motivos, otras causas como el alcohol, la sexualidad, la posesión de tierras, etc., figuran en casi todos los casos, siendo casual el motivo maléfico de hechicería.»

El tribunal condenó a Julián Tzul a 10 años de prisión y debido a su «notoria pobreza» lo excusó del pago de las costas del juicio. La sentencia fue después confirmada por la Corte Suprema de Justicia. La exclamación del indio al recibir la notificación dio el título al libro de Albertina Saravia: «El ladino me jodió».

Para las masas campesinas, atrasadas, sometidas y explotadas, la Nación es todavía algo que necesita terminar de inventarse.

IV

Ganar un futuro de paz y dignidad es la principal aspiración de la inmensa mayoría de los centroamericanos. Desgraciadamente, es probable que ese logro exija todavía el sacrificio de miles de vidas. Y debe considerarse que sobre esas multitudes pesan, no años, sino siglos de postergación y humillaciones. El padre Las Casas narró, hace algo más de cuatro siglos, el asesinato horroroso de las civilizaciones indígenas. Tierras con pueblos de «inmensas gentes», «admirables frutales», huertas y sementeras, todo acabó por «tantas matanzas, crueldades, tantos captiverios e injusticias, que no podría lengua humana decirlo». Exagerado para algunos y preciso para otros, en sus escritos hay miles de páginas de denuncia, enjuiciamiento de la explotación, y lucha sin cuartel por la dignidad humana. Por desgracia, esos testimonios acusadores encuentran réplica en la historia reciente de torturas, represión y matanzas, que se abaten sobre miles de campesinos y trabajadores, gentes del común cuya única aspiración es vivir con esperanza y dignidad.

Aunque cárcel y tortura nunca han estado ausentes de la historia del istmo, hay que retroceder más de cuatro siglos, al trágico período de la conquista, para hallar iguales cantidades de muerte, tanta soledad en los cuerpos y en las almas. No hay quizás dimensión más aterradora que el sacrificio de niños inocentes. Oigamos un testigo de la masacre perpetrada por el ejército de El Salvador en La Joya, el 10 de diciembre de 1981:

«...Y los niños allí, en La Joya, gritaban y lloraban por las nanas y a todos los agarraron a patadas y después los mataron, a unos los rajaron del pescuezo, otros niños les prendieron fuego vivos, y el soldado casi se hace loco porque el niño no se moría, primero lo acuchilló y el niño no se moría, después le echó gasolina y el niño no se moría, luego que veía que el niño no se moría lo ametralló y allí se murió el niño...»

El embrutecimiento es tal, que seguramente los soldados no saben por qué matan. Los campesinos tampoco pueden explicarse por qué los asesinan. Así lo dice en su castellano peculiar, un indio guatemalteco sobreviviente de la matanza realizada por el ejército en la finca San Francisco (Huehuetenango), el 17 de julio de 1982:

«Así vine yo, señor padre... Sólo estoy escuchando otra vez, pero bajo la pena que estoy en mi corazón por los muertos. Porque yo me he visto, estoy mirando cómo mueren mis hermanos, todos, compañeros, compadres, todos. Como somos hermanos entre todos. Como por eso estoy llorando mi corazón toda la vida... No dice, "Así está la delito, así comprobación". ¡Nadie hizo! Saber que pasó eso. Ninguno está sindicando, "aquí está el delito uno, aquí está otro". Nadie está diciendo. Nada más que lo matan. Nada más.»

Nadie sabe si después de tanta iniquidad y vergüenza vendrá un futuro mejor. El padre Las Casas, en el siglo XVI, seguramente lo esperaba, y no ahorró afanes en ello. Monseñor Óscar Arnulfo Romero, el arzobispo de San Salvador asesinado el 24 de marzo de 1980, decía en una homilía pronunciada poco antes de su muerte:

«Estoy seguro que tanta sangre derramada y tanto dolor causado a los familiares de tantas víctimas, no será en vano... Esa sangre y dolor que fecundará nuevas y cada vez más numerosas semillas de salvadoreños que tomarán conciencia de la responsabilidad que tienen de construir una sociedad más justa y más humana...»

Sigue el paso de los días. Las lluvias retornan en mayo cada año. Los campesinos vuelven a sembrar el maíz, y empujan así la vida en el corazón de la tierra. El futuro puede ser indescifrable, y no faltan las condenas del pasado. Pero no es posible creer que merezcan otra primavera interrumpida.

Fuentes y bibliografía

En lo que sigue se indican sólo algunas fuentes y obras bibliográficas. La selección obedece tanto a las preferencias del autor cuanto al deseo de ofrecer indicaciones de lectura a quienes se interesen en profundizar los temas tratados. Las referencias sobre un país o tema específico se han determinado en función del esclarecimiento de la perspectiva general de la región.

Obras generales

El libro de Ralph Lee Woodward Jr., *Central America. A Nation Divided.* (New York, Oxford University Press, 1976), es el único texto de historia general actualizado. Supera con creces la breve síntesis de Mario Rodríguez, *América Central*, (México, Editorial Diana, 1967). Un resumen de la historia económica de la región puede verse en Ciro F. S. Cardoso y Héctor Pérez Brignoli, *Centroamérica y la economía occidental, 1520-1930*, (San José, Editorial Universidad de Costa Rica, 1977). La obra de Edelberto Torres Rivas, *Interpretación del desarrollo social centroamericano*, (San José, EDUCA, 1971), se mueve dentro del esquema teórico de la «sociología de la dependencia».

Entre las principales revistas deben citarse: *Estudios Sociales Centroamericanos*, (San José, Confederación Universitaria Centroamericana, 1972 en adelante); *Anuario de Estudios Centroamericanos*, (Universidad de Costa Rica, 1974 en adelante); *Revista Conservadora del Pensamiento Centroamericano*, (Managua, 1960-1972), reorganizada después con el título *Revista del Pensamiento Centroamericano; Mesoamérica* (Publicación del Centro de Investigaciones Regionales de Mesoamérica y Plumsock Mesoamerican Studies, Antigua Guatemala y South Woodstock, Vermont, desde 1980). Debe mencionarse también el número especial, dedicado a Centroamérica, por el *Journal of Latin American Studies*, (Londres, noviembre 1983).

La tierra y los hombres

La geografía física, política y cultural queda bien esclarecida en la excelente obra de West y Augelli, *Middle America. Its Lands and Peoples* (Englewood Cliffs, Prentice Hall, 1976, 2.ª edición). Adicionalmente, puede consultarse el volumen I del *Handbook of Middle America Indians* (Austin, University of Texas Press, 1964). Eric Wolf ofrece en su clásica obra *Pueblos y culturas de Mesoamérica* (México, Ediciones Era, 1967), un panorama insuperado todavía sobre el pasado y el presente de las culturas indígenas; aunque el libro se ocupa sobre todo de México, estudia también las culturas del área maya.

Los viajeros del siglo XIX proporcionan vívidos cuadros de la vida cotidiana, descripciones del paisaje y muchos otros elementos de variado interés. Entre ellos sobresale el relato de John L. Stephens, *Incidentes de viaje en Centroamérica, Chiapas y Yucatán*. (San José, EDUCA, 1971, dos volúmenes); el original es de 1841 y contiene magníficos grabados según los dibujos de F. Catherwood.

Existen varios estudios sobre las relaciones de Estados Unidos con Centroamérica y el Caribe, pero el de Lester Langley, *The United States and the Caribbean, 1900-1970* (Athens, The University of Georgia Press, 1980), es excelente. Hace falta todavía un buen estudio global sobre el mismo tema en el período 1776-1900.

Tampoco hay buenos panoramas sobre la evolución de la literatura, las artes y los aspectos culturales. El *Diccionario de la literatura latinoamericana. América Central.* (Washington, Unión Panamericana, 1963, dos tomos), provee buena información biográfica y es fácil de utilizar. La obra de Rafael Heliodoro Valle, *Historia de las ideas contemporáneas de Centroamérica* (México, Fondo de Cultura Económica, 1960) está muy envejecida como para leerse todavía hoy con provecho. El ensayo de Sergio Ramírez Mercado, «Balcanes y volcanes, aproximaciones al proceso cutural de Centroamérica», en Edelberto Torres *et al., Centroamérica hoy* (México, Siglo XXI, 1975), ofrece, en cambio, perspectivas sugerentes.

Sobre Panamá debe consultarse la obra de Omar Jaén Suárez, *La población del istmo de Panamá* (Panamá, 1978) y varios estudios de Alfredo Castillero Calvo, en especial *Economía terciaria y sociedad, Panamá siglos XVI y XVII* (Panamá, 1980). Sobre Belice existe una bibliografía relativamente abundante, entre la que conviene destacar Nigel O. Bolland, *Belize. A New Nation in Central America* (Boulder and London, Westview Press, 1986) y Narda Dobson, *A History of Belize* (London, Longman Caribbean, 1973).

El pasado colonial

Las obras de Murdo MacLeod, *Spanish Central America. A Socioeconomic History, 1520-1720* (Berkeley, University of California Press, 1973), y Miles Wortman, *Government and Society in Central America, 1680-1840* (New York, Columbia University Press, 1982), combinan una vasta erudición con un enfoque global y renovado. *La Patria del Criollo. Ensayo de interpretación de la realidad colonial guatemalteca.* (Guatemala, Editorial Universitaria, 1971) de Severo Martínez Peláez es un magnífico estudio de psicología colectiva. Ideología y dominación social se engarzan, en manos de los herederos de los conquistadores, en una nueva patria criolla. A la luz de estos méritos, empalidecen ciertos errores conceptuales y muchas generalizaciones apresuradas. Deben mencionarse además, dos artículos publicados hace ya años, pero todavía insustituibles: Robert S. Smith, «Indigo Production and Trade in Colonial Guatemala», *Hispanic American Historical Review* (Vol. 39, 1959, pp. 181-211); Troy S. Floyd, «The Guatemalan Merchants, the Government, and the Provincianos, 1750-1800», *Hispanic American Historical Review* (vol. 41, 1965, pp. 90-110). Sobre Costa Rica puede consultarse el estudio de Elizabeth Fonseca Corrales, *Costa Rica Colonial, la tierra y el hombre* (San José, Educa, 1984). Podemos agregar todavía el estudio de Linda Newson, «Labour in the Colonial Mining Industry of Honduras», *The Americas,* (Octubre, 1982, pp. 185-203); la magnífica monografía de Christopher Lutz sobre la capital del Reino de Guatemala: *Historia sociodemográfica de Santiago de Guatemala, 1541-1773* (Guatemala, CIRMA, 1983), la tesis aún inédita de Juan Carlos Solórzano, *Population et systemes economiques au Guatemala, 1690-1810* (París, École des Hautes Studes en Sciences Sociales, 1981), y el estudio de Stephen Webre sobre el Cabildo de la Ciudad de Guatemala, parcialmente publicado en *Mesoamérica* (1981,2). Sobre las cofradías puede verse Santiago Montes, *Etnohistoria de El Salvador. El Guachival Centroamericano* (San Salvador, Ministerio de Educación, 1977, 2 vol.).

En busca del progreso

Sobre la Independencia vale la pena consultar Mario Rodríguez, *El experimento de Cádiz en Centroamérica, 1808-1826* (México, Fondo de Cultura Económica, 1984) y la antología de Carlos Meléndez, *Textos fundamentales de la Independencia Centroamericana* (San José, Educa, 1971). Los avatares de la Federación Centroamericana en el contexto de la diplomacia británica están muy bien estudiados en Mario Rodríguez, *Chatfield, Consul Británico en Centroamérica* (Tegucigalpa, Banco Central de Honduras, 1970). Una visión más general y resumida aparece en la obra del mismo autor, *América Central* (México, Editorial Diana, 1967). También puede consultarse Thomas L. Karnes, *Los fracasos de la Unión, Centroamérica, 1824-1960* (San José, ICAP, 1982) y la obra ya citada de Ralph Lee Woodward. Para la insurrección de

Carrera es necesario acudir a la tesis inédita de Hazel Ingersoll, *The War of the Mountain. A Study of Reactionary Peasant Insurgency in Guatemala, 1837-1873,* (George Washington University, 1972). El episodio de William Walker ha provocado una vasta literatura, pero lo mejor sigue siendo William O. Scroggs, *Filibusteros y financieros. La historia de William Walker y sus asociados.* (Managua, Banco de América, 1974, la primera edición es de 1916), y el testimonio del propio Walker, *La guerra de Nicaragua,* (San José, EDUCA, 1970), publicado en 1860.

El liberalismo ha despertado una abundante bibliografía. *El pensamiento liberal de Guatemala,* (San José, EDUCA, 1977), de Jorge Mario García Laguardia reproduce textos esenciales, precedidos de un amplio estudio preliminar. Thomas Herrick, en *Desarrollo económico y político de Guatemala durante el período de Justo Rufino Barrios (1871-1885),* (Guatemala, EDUCA, 1974) analiza la Reforma con erudición pero escapando al tradicional y excesivo énfasis en los aspectos político-institucionales. La antología *Oro de Honduras* (Tegucigalpa, 2 vol., 1948-1954), de Rafael Heliodoro Valle, recopila los principales trabajos de Ramón Rosa, connotado liberal hondureño de amplia trayectoria centroamericana. Un testimonio vivo, cargado de ironía y perspicacia, de la turbulenta y a menudo contradictoria política de la época, se encuentra en el *Diario Íntimo,* del nicaragüense Enrique Guzmán Selva (1843-1911), publicado por entregas en la *Revista Conservadora del Pensamiento Centroamericano* (Managua), en la década de 1960. *Ecce Pericles,* de Rafael Arévalo Martínez (San José, EDUCA, 1983, 2.ª edición), ofrece una crónica novelada pero apasionante, de la dictadura de Estrada Cabrera. Conviene leerla a la par de la clásica novela de Miguel Ángel Asturias, *El Señor Presidente,* inspirada en la misma temática.

El crecimiento empobrecedor

Entre los estudios sobre la economía cafetalera sobresalen los de David Browning, *El Salvador. La Tierra y el Hombre* (San Salvador, Ministerio de Educación, 1975) y de Carolyn Hall, *El Café y el desarrollo histórico-geográfico de Costa Rica,* (San José, Editorial Costa Rica, 1976). Ambas investigaciones tienen la virtud de situar el problema en una amplia perspectiva histórico-geográfica. El de Browning es, en realidad, una reconstrucción de los cambios en el paisaje agrario desde la época colonial hasta el presente. Más limitado es el enfoque de Sanford Mosk, «La economía cafetalera de Guatemala durante el período 1850-1918: su desarrollo y signos de inestabilidad», en varios autores, *Economía de Guatemala,* (Guatemala, Seminario de Integración Social Guatemalteca, 1958). Sobre Guatemala debe consultarse también el nuevo estudio de Julio Castellanos Cambranes, *Café y campesinos en Guatemala, 1853-1897* (Guatemala, Universidad de San Carlos, 1986). Para el estudio de las plantaciones bananeras sigue siendo esencial Kepner y Soothill, *El Imperio del Banano,* (Buenos Aires, Editorial Triángulo, 1957, existen varias ediciones) cuyo original fue editado en inglés en 1935. Las novelas *Mamita Yunai,* del costarricense Carlos Luis Fallas y *Prisión Verde,* del hondureño Ramón Amaya Amador, trazan vívidos frescos de la vida, lucha y padecimiento en las plantaciones.

Sobre Sandino existe una copiosa bibliografía. Merecen destacarse, en particular, el cuidadoso estudio de Neil Macauley, *The Sandino Affair,* (Chicago, Quadrangle Books, 1967), y la antología de textos de Sergio Ramírez Mercado, *El Pensamiento Vivo de Sandino,* (San José, EDUCA, 1974). En adición a la ya mencionada obra de Langley, sobre la política norteamericana y las intervenciones es indispensable consultar las diversas obras de Dana G. Munro; en particular, *The United States and the Caribbean Republics, 1921-1933,* (Princeton, Princeton University Press, 1974). La insurrección de 1932 en El Salvador ha sido estudiada por Thomas Anderson, *El Salvador, 1932,* (San José, EDUCA, 1982, 2.ª ed.).

Para el estudio de las luchas sindicales existen dos testimonios autobiográficos de notorio valor, *Miguel Mármol. Los sucesos de 1932 en El Salvador,* de Roque Dalton (San José, EDUCA, 1972) y Antonio Obando Sánchez, *Memorias, la historia del movimiento obrero en Guatemala en este siglo,* (Guatemala, Editorial Universitaria, 1978).

Las desigualdades crecientes

El caso de Guatemala ha sido particularmente estudiado. Richard Adams *et al., Crucifixion by Power. Essays on Guatemalan National Social Structure, 1944-1966.* (Austin and London, University of Texas Press, 1970) y Robert Wasserstrom, «Revolución en Guatemala: campesinos y políticos durante el gobierno de Arbenz», *Estudios Sociales Centroamericanos* (San José, septiembre-diciembre de 1977), constituyen sólidos intentos en el esclarecimiento de la estructura social y la dinámica de los conflictos políticos. La intervención norteamericana en 1954 es examinada por Susana Jonas Bodenheimer en *Guatemala: Plan piloto para el continente* (San José, EDUCA, 1981), en el contexto de las estrategias de contrainsurgencia. Richard Immeman, *The CIA in Guatemala. The Foreign Policy of Intervention* (Austin, University of Texas Press, 1982) y Stephen Schlesinger and Stephen Kinzer, *Bitter Fruit. The Untold Story of the American Coup in Guatemala* (New York, Anchor Books, 1983), hacen extenso uso de la documentación confidencial del Departamento de Estado y la CIA; ilustran, con lujo de detalles, el planeamiento y ejecución de la operación, estableciendo con toda claridad implicaciones y responsabilidades. El punto de vista del gobierno de Arbenz quedó bien expresado en la obra de Guillermo Toriello, *La Batalla de Guatemala* (México, Cuadernos Americanos, 1955).

Sobre Costa Rica puede consultarse John Patrick Bell, *Guerra civil en Costa Rica. Los sucesos políticos de 1948* (San José, EDUCA, 1976), y José Luis Vega Carballo, *Poder político y democracia en Costa Rica* (San José, Editorial Porvenir, 1982). Las vicisitudes del reformismo han sido estudiadas por Jorge Rovira Mas, *Estado y política económica en Costa Rica, 1948-1970* (San José, Editorial Porvenir, 1982).

Richard Millet examina en detalle el régimen de Somoza a partir de un estudio de la Guardia Nacional de Nicaragua, *Guardianes de la dinastía* (San José, EDUCA, 1979). Una perspectiva histórica más amplia se encuentra en Alberto Lanuza y otros, *Economía y sociedad en la construcción del Estado en Nicaragua,* (San José, ICAP, 1983). Sobre Honduras puede consultarse Mario Posas y Rafael del Cid, *La construcción del sector público y del Estado Nacional en Honduras, 1876-1979,* (San José, EDUCA-ICAP, 1981). *La guerra inútil. Análisis socioeconómico del conflicto entre Honduras y El Salvador* (San José, EDUCA, 1971), editado por Marco Virgilio Carias y Daniel Slutzky, supera con creces el marco de conflicto armado de 1969.

El estudio más amplio sobre la industrialización y el Mercomún se debe a W. R. Cline y E. Delgado (Editores), *Economic Integration in Central America* (Washington, The Brookings Institution, 1978). Los cambios en la economía bananera han sido magníficamente estudiados por Frank Ellis, *Las transnacionales del banano en Centroamérica* (San José, EDUCA, 1983).

La crisis presente (1980-1984)

Existe una vasta bibliografía sobre la política norteamericana, entre la cual puede citarse Walter Lafeber, *Inevitable Revolutions: The United States in Central America* (New York, Harper & Row, 1984) y Richard Alan White, *The Morass. United States Intervention in Central America.* (New York, Harper & Row, 1984).

Sobre El Salvador puede verse Enrique Baloyra, *El Salvador in Transition,* (Chapel Hill, The University of North Carolina Press, 1982). El pensamiento de Monseñor Romero es de estudio obligado: la antología *Monseñor Romero,* selección y presentación de Arnoldo Mora, (San José, EDUCA, 1981), carece lamentablemente de un índice adecuado, y no incluye algunos textos importantes. Sobre la reforma agraria debe consultarse el artículo de David Browning: «Agrarian Reform in El Salvador», *Journal of Latin American Studies,* (vol. 15, noviembre 1983).

La revista *Pensamiento propio* (núm. 15, año II, Managua, 1984), contiene un interesante análisis sobre los cinco años de gobierno del régimen sandinista. Puede verse también, Michael E. Conroy, «False Polarization? Alternative Perspectives on the Economic Stragegies of Post-Revolutionary Nicaragua», *Third World Quaterly,* (octubre 1984).

La violencia en Guatemala es estudiada en detalle por Gabriel Aguilera Peralta *et al., Dialéctica del terror en Guatemala,* (San José, EDUCA, 1981). Véase también el número 10-11 de la revista *Polémica,* (San José, ICADIS, julio-octubre de 1983). El número 14-15 de la misma publicación (marzo-junio de 1984) contiene varios artículos retrospectivos sobre las elecciones celebradas en Centroamérica durante el año 1984.

Epílogo: Las condenas del pasado

La obra de Las Casas es copiosa, y muy abundantes las referencias a Centroamérica. La *Brevísima Relación de la Destrucción de las Indias* (1552), es la más conocida y accesible; de ella existen muchas ediciones entre las que cabe mencionar una reciente de André Saint-Lu (Madrid, Cátedra, 1984). Testimonios sobre tortura, violencia y represión, se hallan en los informes de Amnistía Internacional, las Comisiones de Derechos Humanos de la OEA y las Naciones Unidas. No puede dejar de leerse el estudio de Ricardo Falla, «Masacre de la finca San Francisco. Huehuetenango, Guatemala, 17 de julio de 1982», en *ECA*, Revista de la Universidad Centroamericana Simeón Canas, (San Salvador, julio-agosto, 1983), presentado originalmente en la reunión anual de la American Anthropological Association, en diciembre de 1982.

El delito de Julián Tzul aparece estudiado en la obra de Albertina Saravia Enríquez, *El ladino me jodió: vida de un indígena* (Guatemala, Editorial José Pineda Ibarra, 1983).

Bibliografías

Dos amplias bibliografías comentadas, con énfasis en los textos disponibles en inglés, se encuentran en las citadas obras de Ralph Lee Woodward y Lester Langley.

Cronología

1589.	Asentamiento de piratas en Blufields.
1590-1620.	Primer auge de la producción de añil.
1597.	Fundación de Portobelo y abandono de Nombre de Dios.
1604-12.	Intento de evangelización del padre Verdelete en la Mosquitía.
1605.	Habilitación del Puerto de Santo Tomás de Castilla, en la costa norte de Guatemala.
1631-33.	Asentamiento inglés en Providencia y el Cabo de Gracias a Dios.
1639-40.	Ataques piratas en la Costa Norte de Honduras.
1643.	Saqueo holandés de Trujillo. Los españoles abandonan ese puerto hasta 1789.
1655.	Los ingleses toman Jamaica.
1660.	Primera imprenta en Guatemala.
1662.	Primer asentamiento inglés en Belice.
1665.	Asalto pirata a Granada, León y el Realejo.
1681.	Inauguración de la Universidad de San Carlos en Guatemala.
1684-86.	Recrudecen los ataques piratas las costas de Costa Rica y Nicaragua.
1699.	Establecimiento inglés en Río Tinto (Honduras).
1700.	Los Borbones suben al trono de España. Guerra de Sucesión, Paz de Utrecht en 1713.
1704-09.	Ataques de los zambos-mosquitos en Nicaragua y Costa Rica.
1729.	Publicación del primer número de la *Gaceta de Guatemala.*
1731.	Establecimiento de la Casa de Moneda de Guatemala.
1739.	Guerra de la Oreja de Jenkins. Ataques ingleses a las costas centroamericanas. Destrucción de Portobelo.
1742.	Creación del Arzobispado de Guatemala.
1752-75.	Construcción del fuerte de Omoa.
1763.	Tratado de París, Inglaterra se compromete a destruir sus fortificaciones en la Costa Atlántica de Centroamérica, pero mantiene derechos para los cortes de madera.
1767.	Expulsión de los Jesuitas.
1770-1800.	Importante auge del añil en El Salvador.
1773.	Terremotos en Guatemala. Destrucción de la capital; traslado a su sitio actual en 1775-76.
1778.	Apertura de Omoa y Santo Tomás al comercio intercolonial.
1779-83.	Guerra entre España e Inglaterra. El Capitán General Matías de Gálvez frustra los intentos británicos de invasión de Nicaragua, pero no logra desalojarlos de Belice y la Mosquitía.
1785-86.	Creación de las Intendencias de San Salvador, Chiapas, Honduras y León.
1793.	Creación del Consulado de Guatemala.
1797-99.	Se autoriza el comercio con los Estados neutrales, lo cual favorece sobre todo a los barcos norteamericanos. El contrabando inglés se afirma en toda la costa atlántica.
1808.	Invasión francesa de España. Guatemala apoya a Fernando VII.

1811-14.	Movimientos independentistas en San Salvador, León, Granada y Belén (Guatemala).
1812.	Constitución de Cádiz.
1814-18.	Reacción absolutista.
1821.	Independencia y anexión a México.
1823.	Fracaso de la anexión a México. El 1 de julio se declara la Independencia absoluta.
1824.	Organización de la República Federal. Anexión de Nicoya a Costa Rica.
1825.	Arce, primer presidente de la Federación.
1826-29.	Guerra Civil.
1829-30.	Introducción de la imprenta en Honduras, Cosra Rica y Nicaragua.
1830-39.	Morazán, presidente de la Federación Centroamericana.
1831-38.	Gobierno de Mariano Gálvez en Guatemala; aplicación de las Reformas Liberales.
1837-40.	Epidemia de cólera e insurrección indígena en Guatemala, liderada por Rafael Carrera.
1838-39.	Desintegración de la República Federal.
1839-65.	Carrera gobierna o controla la vida política de Guatemala.
1839-1850.	Constantes amenazas inglesas. Ocupación de las Islas de la Bahía, San Juan del Norte y la Isla del Tigre en el Golfo de Fonseca.
1840.	Carrera derrota a Morazán.
1840.	Paulatina consolidación de las exportaciones de café en Costa Rica.
1842.	Convención de Chinandega (pacto de Confederación, firmado por Honduras, Nicaragua y El Salvador).
1843.	Protectorado inglés sobre la Mosquitía.
1847-48.	Los Estados Centroamericanos se proclaman soberanos e independientes.
1850.	Tratado de Clayton-Bulwer, sobre la vía interoceánica, entre Inglaterra y Estados Unidos.
1855-67.	Walker llega a Nicaragua. «Guerra Nacional» y expulsión de los filibusteros.
1859.	Guatemala reconoce la soberanía inglesa sobre Belice a cambio de la construcción de un camino entre Ciudad de Guatemala y la costa atlántica.
1860.	Comienza la expansión cafetalera en Guatemala y El Salvador.
1870-76.	Reformas liberales en Costa Rica, Guatemala, Honduras y El Salvador.
1885.	Intento unionista de Justo Rufino Barrios. Muerte de Barrios en la batalla de Chalchuapa.
1889-1902.	Consolidación de la democracia liberal en Costa Rica.
1893.	Revolución liberal en Nicaragua. Régimen de José Santos Zelaya (1893-1909).
1894.	Zelaya ocupa la Mosquitía.
1898-1920.	Estrada Cabrera gobierna Guatemala.

1899.	Formación de la United Fruit Company. Auge de las compañías bananeras (1900-1929).
1901.	Tratado Hay-Paucenfote. Inglaterra libera a Estados Unidos de las obligaciones del tratado Clayton-Bulwer.
1903.	Independencia de Panamá y tratado del Canal.
1907.	Conferencias de Washington.
1912-33.	Ocupación norteamericana de Nicaragua.
1914.	Inauguración del Canal de Panamá.
1916.	Tratado de Bryan-Chamorro.
1920.	Florecimiento de la organización sindical. Formación de los partidos comunistas en Guatemala, Honduras, El Salvador y Costa Rica.
1923.	Tratados de Washington.
1927-34.	Alzamiento de Sandino en Nicaragua.
1930-45.	Fuerte repercusión de la crisis económica mundial; impacto negativo de la Guerra Mundial por el cierre de los mercados de exportación en Europa.
1932.	Insurrección campesina en El Salvador.
1931-44.	Dictaduras de Ubico y Hernández Martínez en Guatemala y El Salvador.
1933-48.	Dictadura de Carías en Honduras.
1934.	Gran huelga bananera en Costa Rica.
1937-78.	Dinastía Somoza en Nicaragua.
1940.	Convenios de Washington. Sistema de cuotas para la exportación del café.
1944-54.	Reformas en Guatemala, durante los gobiernos de Arévalo y Arbenz.
1947-58.	Importantísimo auge de los precios del café.
1948.	Guerra Civil en Costa Rica. Triunfo de Figueres y los grupos social demócratas. Notorio afianzamiento del camino reformista.
1954.	Intervención de la CIA y caída de Arbenz en Guatemala. Gran huelga de los trabajadores bananeros en Honduras.
1957-63.	Régimen reformista de Villeda Morales en Honduras.
1959.	Triunfo de la Revolución Cubana. Enfrentamiento con Estados Unidos. Crisis de los misiles. Alianza militar con la Unión Soviética en 1962. Bloqueo a partir de 1964.
1960.	Tratado de Integración Económica Centroamericana y Mercado Común. Costa Rica se adhiere en 1963.
1960-73.	Movimiento guerrillero en Guatemala. Acciones del Frente Sandinista en Nicaragua.
1961.	Kennedy formula la «Alianza para el Progreso».
1968-82.	Régimen de Torrijos en Panamá. Renegociación de los Tratados del Canal (1977).
1969.	«Guerra del Fútbol», entre Honduras y El Salvador.
1971.	Inicio de los movimientos guerrilleros en El Salvador.
1972-78.	«Reformismo militar» en Honduras.

1977.	Resurgimiento de la guerrilla en Guatemala; implantación en las zonas rurales de predominio indígena.
1978-79.	Lucha antisomocista en Nicaragua. Triunfo sandinista en 1979.
1979-80.	Intentos reformistas en El Salvador. Ofensiva oligárquica: asesinato de Monseñor Romero en 1980.
1980.	La crisis económica se abate sobre todos los países centroamericanos. Activa presencia militar norteamericana en Honduras.
1981.	Comienzan las acciones antisandinistas contra Nicaragua, con el claro apoyo de los Estados Unidos.
1983.	Comienzan las gestiones diplomáticas del Grupo de Contadora, en un intento de pacificación de la región. En octubre, los Estados Unidos invaden la isla caribeña de Granada, deponiendo a un régimen izquierdista aliado de Cuba y Nicaragua.